WAC BUNKO

石原慎太郎 日本よ！

亀井静香
石原慎太郎

WAC

はじめに――「じゃあ、またな」――別れ際の涙

涙を流した日

「おい亀ちゃん、『Ｗ・ｉＬＬ』で対談しようじゃないか」

二〇一八年から三年にわたって続いた「甘辛問答」、最初に持ち掛けてきたのは石原さんだった。彼はワガママだが、繊細でシャイな一面もある。いま思えば対談を口実に、私と定期的に会いたかったのかもしれない（笑）。

二つ返事で引き受けて始まった対談だが、不安になることもあった。毎度のように「あの頃はよかったナァ」と昔話に花を咲かせ、「最近の自民党は情けない」と嘆いて

みせる。暴走老人ふたりの戯言は、読者の目にどう映っていたことやら……。

対談はしょっちゅう脱線した。二人で地図を眺めながら、「石垣島から尖閣の距離は……」と尖閣上陸作戦の航海ルートを考えることもあった。風向きや潮の流れを計算しながら、ああでもないこうでもないと悩んでみせる石原さん。その横顔は湘南ボーイのまま。少年のように目を輝かせていた。

二〇二一年十二月、私はいつものように石原さんの自宅を訪ねた。彼は開口一番、「亀ちゃん、来年こそは面白いことをやろうぜ」と。憲法改正に向けて若手議員にハッパをかけてやろう、習近平に会って直接文句を言ってやろう、そろそろ尖閣上陸作戦を実行に移そう……。

時間が経つのも忘れて語り合った後、別れ際に「じゃあ、またな」と握手した。そのとき彼は涙を流した。今生の別れとなることを悟っていたんだろうか。

そして二〇二二年二月一日、太陽は沈んだ。日本がほんの少しだけ暗く、退屈になってしまった。私より先に逝きやがって、バカ野郎！

小説家は羨ましい

脳梗塞(こうそく)が再発してから、石原さんの身体は自由に動かなくなってしまった。ヨットマンで運動が大好きな石原さんは、「精神と肉体」をテーマに多くの作品を残している。頭脳は昔と変わらず明晰(めいせき)なのに、肉体だけが確実に衰えていく――彼にとっては生殺し状態だったのかもしれない。思い通りに身体を動かせない苛立ちと葛藤(かっとう)の中で、石原さんは「死」と向き合い始めたんだろう。

その証拠に、晩年の石原さんは「死」や「老い」をテーマに本を書くことが多かった。『死者との対話』『死という最後の未来』『老いてこそ生き甲斐』……。法華経の現代語訳にも熱中していたが、それも死生観をめぐる哲学的思索といえる。

石原さんに「亀ちゃん、死ぬというのはどういうことだ?」と質問されたことがある。私が「死ぬのが怖いのか?」と尋ねると、彼は「まったく怖くないね」と。「死などありはしない。ただこの俺だけが死んでいくのだ」――アンドレ・マルローの小説を引用しながら、「死の先には虚無が待っている。それをオレたちは甘んじて受け入れなければならない」なんて強がっていた（笑）。

石原さんにこんな話をしたことがある。

「私は石原さんが羨ましい。政治家が死んでも何も残らない。家族や友人は葬式を開き、墓を建ててくれるだろう。しかし、時間が経つにつれて、亀井静香という存在は人々の記憶から徐々に消えていく。でも、あなたは違う。石原さんが死んでも、その思想と文学は残る。あなたの作品を愛する読者がいる限り、百年でも千年でも石原慎太郎は人々の心の中で生き続けるんだ」

石原さんは満足げな顔を浮かべながら聞いていた。

永田町の絶滅危惧種

石原さんとの出会いは、半世紀前にまで遡る。警察官僚を辞めて政治の世界に飛び込んだ私の世話をしてくれたのは、清和会（福田派）と石原さんが所属していた自由革新同友会（中川派）だった。

第一印象は「生意気な野郎」。広島の田舎から上京した私とは対照的に、石原さんは当時の自民党には珍しい洒落たシティボーイ。嫉妬する気も起きなかったよ（笑）。

それでいて、他人を蹴落としてでも出世したい、カネ儲けしたいという欲望が一切ない。「俗」にまみれた永田町のなかで、「絶滅危惧種」のような存在だった。

石原さんの辞書に「忖度（そんたく）」という言葉はない。相手のご機嫌をとったり、おべっかを使ったりすることが大嫌いだ。私も思ったことは遠慮なく言葉に出してしまう性格。本音を語り合える相棒になるまで時間はかからなかった。似た者同士、惹（ひ）かれ合うものがあったんだろう（笑）。

互いに譲れない性格ゆえに、つかみ合いのケンカも日常茶飯事だった。

宴席で「アンタは『太陽の季節』だけの一発屋だ。『太陽の季節』だって、男のシンボルで障子を突き破るだけの話じゃないか」とからかった。すると彼は「何だと！もう一度言ってみろ！」と激怒して、グラスを片手に立ち上がった。ビールをかけられるんじゃないかとヒヤヒヤしたよ（笑）。

宇宙人のような男

国家観をめぐって衝突することもしょっちゅう。

私は頭山満（とうやまみつる）や葦津珍彦（あしづうずひこ）の系譜を継ぐ生粋の民族主義者を自負している。天皇陛下は神様でも人間でもない絶対的な存在だと思っている。

対して石原さんは、伝統的な保守思想とは一線を画していた。日本人として皇室に敬愛を抱いているが、私のような強烈な天皇主義者ではなかった。三島由紀夫に「日本で共和制はあり得ませんか？」と尋ねて、「共和制を主張したら、オレはお前を殺す」と激怒された……なんてエピソードを披露してくれたこともある。

外交・安全保障についても、数えきれないほど激論を交わした。

私はつねづね、「アメリカ、中国、ロシアという大国に対抗するために、日本と韓国、北朝鮮が一丸とならねばならない」と主張してきた。すると石原さんからは「異議あり！」と反対の声が飛んでくる。彼は「大国にも小国にも与（くみ）しない日本」を望んだ。

他方で、「日本の外交は複雑だが、ポーカーの要領で考えればいい。米中露韓北という五枚のカードをどう組み合わせるか、それが重要だ」といつも口にしていた。作家＝理想主義者と政治家＝現実主義者、二面性が彼のバランス感覚を支えていたのだろう。

作家と政治家、どちらが本当の石原さんなのか――そんな質問をされるが、作家・石原慎太郎が〝本体〟であることは言うまでもない。これまで、彼のことを「現代最高の文人」と評してきたが、訂正させてほしい。石原さんは宇宙人だ。戦後の文壇・政界に彗星(すいせい)のごとく現れた異星人(笑)。そういえば対談でも、スティーヴン・ホーキング博士の宇宙論をよく話してくれたものだ。

石原さんにとって、政治家としての人生も作品の一部だったんだろう。一回生議員にもかかわらず青嵐会を立ち上げて田中角栄に真っ向勝負を挑み、都知事として尖閣購入をサプライズ発表して世間を驚かせる。まるで小説の主人公じゃないか。

石原さんと私は生まれも育ちも、政治スタンスもまったく異なる。それでも、根っこで一致していたものがある。何があっても美しい日本の風景を後世に残す――使命感にほかならない。そのためには、アメリカにも中国にも屈してはならない。大国のポチになって生きながらえても、それは「奴隷の繁栄」だ。遅かれ早かれ、いずれ日本が日本でなくなってしまう。

石原さんはたびたび「暴言」で世間を騒がせた。「北朝鮮のミサイルが日本に一発落ちればいい」「震災は我欲にまみれた日本人への天罰」「東京では、不法入国した三国人、外国人が凶悪な犯罪を繰り返している」……これらの発言は、マスコミから猛烈に批判された。しかし、石原さんは最後まで「石原節」を止めることはなかった。なぜなら、数々の暴言は「平和ボケ」した日本人への警告だったからだ。

「都知事のほうが面白い」

石原さんは誰よりも日本を愛していたがゆえに、「平和の毒」に侵された日本人を誰よりも憂えていた。そんな男が日本のリーダーになる日を、私は夢見ていた。

最初のチャンスは一九八九年。宇野宗佑がスキャンダルで辞任したとき、今こそ石原さんを総裁選に出馬させなければならないと思った。相手は竹下派が支持する海部俊樹と宮澤派が支持する林義郎。平沼赳夫や細田博之らと、届け出の締切ギリギリまで推薦人集めに奔走（ほんそう）した。

結局、総裁選では四十八票しか獲れずに大敗北。それでも石原さんは、「亀ちゃんのおかげであれだけの票が集まった」と感謝してくれた。自民党内の主流派を敵に回した罰として、石原さんと私は冷や飯を食わされたが、あれはあれで楽しかったな（笑）。

その後、石原さんは国政に見切りをつけて都知事に転身した。都知事としての功績はご承知の通り。ディーゼル車を規制して、灰色だった東京の空を真っ青にしてくれた。石原さんが始めた東京マラソンは冬の風物詩になったし、東京五輪も彼がいなければ招致できなかった。

二人でタッグを組んで羽田空港の国際化を実現したこともある。都知事の石原さんと自民党政調会長の私が、運輸事務次官を呼んで恐喝したんだ（笑）。わずか十五分の交渉で調査費をつけさせ、新滑走路の着工につながった。

国会議員というのは所詮、ワンオブゼム。七百人以上いる中の一人にすぎず、党議拘束に縛られて自由に動けない。対照的に、都知事という「独裁者」はトップダウンで何でも決められる。石原さんはことあるごとに、「知事は国会議員より面白い」と漏らしていた。

石原さんが八十歳になったとき、私は「新党をつくらないか?」と持ち掛けた。「石原総理」誕生という夢を叶えるため、今こそ最後の大勝負に出る時だと思ったんだ。石原さんは誘いに乗って都知事を辞めたが、最後の最後で袂を分かった。私は小沢一郎と組むことを提案したが、石原さんは橋下徹と組むことを選択。いま思えば、小沢は石原さんが最も嫌うタイプの俗な政治家。水と油を混ぜることは最初から無理だった。

結局、橋下との新党はうまくいかず、石原さんは二年後に政界を去ることになった。石原さんを総理大臣にできなかったのは、本当に残念でならない。

あの世でも暴れまわろう

石原さんは「いつ死んでもいいように」と、辞世の句をつくっていた。自慢げに披露してくれたものだ。

「灯台よ　汝(なんじ)が告げる言葉は何ぞ　我が情熱は　誤りていしや」

荒波のなか、灯台の光を頼りに命からがら港にたどり着いた心境を詠んだもので、「人生に悔いなし」という意味だそうな。人生を航海にたとえるとは、実に彼らしい。

石原兄弟が青春時代を過ごした葉山には、「裕次郎灯台」がある。石原さんが弟の三回忌に建設した灯台で、今日もヨットマンたちに海の道標(みちしるべ)を示している。石原さんは嬉しそうに話してくれた。「自分が死んだら裕次郎灯台の隣に『慎太郎灯台』を建てるよう、息子たちに頼んでいるんだ」と。そして、「灯台の前に記念碑をつくって、そこに辞世の句を刻むんだ」とも。

石原さんは晩年、裕次郎について多くを語らなかった。でも、言葉にしなくても愛は伝わるものだ。今ごろ石原兄弟は二人きり、ブランデーグラスを傾けているのだろう。あいつらのことだから、「待たせたな」「おい兄貴、待たせすぎだ」なんて洒落た会話でもしているのかな。

いずれ私もそこに行く。くれぐれも「面倒なヤツが来やがった！」なんて嫌がらないでくれ（笑）。

盟友よ、あの世でも暴れまわろうじゃないか。

二〇二二年（令和四年）二月

亀井静香

石原慎太郎　日本よ！

目次

衛隊クーデター計画を潰した／アメリカのポチではない挙国一致内閣を求む／米国に「ノー」と言える「瑞穂の国」らしさ

装幀／須川貴弘（WAC装幀室）

本書は月刊『Ｗ・ｉＬＬ』に連載された「甘辛問答」（二〇二〇年一月号～二〇二一年六月号）を収録したものです（二〇二〇年七月号と二〇二一年三月号は休載）。収録にあたって、タイトルなど、一部改題・改編しています。

第一章　香港を手助けして習近平のハナをあかしてやりたいナ

政治から大和心が消えた

石原　「桜を見る会」が問題になっているみたいだ。安倍君が、地元の後援会から八百五十人をアゴ足つきで招待したらしい。

亀井　シンゾーは、「費用は参加者の自己負担」と言っているけどな。

石原　かわいそうなのは菅原一秀だよ。秘書に香典を持って行かせただけで、経済産業大臣をクビになったんだから。どう考えてもバランスが取れていない。

こういう時にこそ、野党は不信任決議案を出すべきなんだ。人情論で攻めるのがいい。多くの支持者を至れり尽くせりで厚遇しても許されるのに、亡くなった人に香典を渡したらクビだなんて。

亀井 公職選挙法では、本人が香典を渡すのはOKで、秘書が渡したらダメ。秘書は議員と一体なんだから、公職選挙法そのものがおかしいよ。

政治の世界から、義理人情が消えてしまったような気がしてならない。敷島の大和心を人問はば朝日に匂ふ山桜花……本居宣長の言う、大和心がなくなってきている。

人でも神でもない

石原 大嘗祭（二〇一九年十一月）が終わって、一連の即位の礼が一段落したな。

亀井 改めて、天皇陛下への尊崇が日本人のDNAに刻み込まれていると感じたよ。

石原 まさに「お祭り」だな。盆踊りや阿波踊り、ねぶた祭りの延長に、即位礼正殿の儀がある。天皇というのは、日本の文化なんだ。

亀井 天皇自体が文化的存在だよ。国民がお祭りを楽しんでくれれば、それでいいじゃないか。政教分離だとか難クセをつける連中もいるみたいだけど、国がカネを出すのは当たり前の話だ。

石原　ブータン国王は、前回の即位礼正殿の儀に参列して感動したそうだね。西洋化されたはずの日本で、奇矯ともみえる風俗が残っていることに驚いたんだ。普段はみな背広を着ているのに、儀式の時だけ伝統的な恰好をしている。ブータンは自国の伝統に固執している国だから、親近感を覚えたんだろう。

亀井　万世一系で続いている天皇は、海外からみれば不思議な存在かもしれない。人でもなければ神でもない。天照大神の時代から、誰が選んだわけでもないけれど国民とともに存在している。

石原　神道の家元であることは確かだ。かつては「現人神」と称えられ、おかげで三百万もの国民の命が犠牲になった。

亀井　昭和天皇の戦争責任は否定できない。

石原　神道は体系がないからつまらないんだ。

カントは『純粋理性批判』で、人間には理性を超えた感性が備わっていると書いている。日本人は大きな岩や滝を見ると、畏敬(いけい)の念を抱いて信仰の対象にしてしまう。アンドレ・マルローと一緒に、熊野那智大社を訪れたことがある。鳥居をくぐると、「ちょっと待ってくれ、下がろう」と言われ、五十メートルほど来た道を戻った。そこから鳥居を見ると、正面に滝が流れている。彼は、「この神社の御神体は那智の滝だな」と言った。さすがに見抜いていたんだよ。

神を「感じる」

亀井 八百万(やおよろず)の神々だからな。西行法師が伊勢神宮にお参りしたとき、「なにごとのおはしますかは知らねども　かたじけなさに涙こぼるる」と歌を詠んでいる。僧侶ですら、神を感じることができるんだ。

石原 我々が感じているだけで、神が宿っているわけじゃない。日本の神道は感性をもとに成り立っているから、土俗的なんだ。

亀井 宗教にランクなんてあるわけないだろう。

石原　仏教は高級だよ。哲学的な体系を持っている。

亀井　「南無阿弥陀仏」と唱えているだけじゃないか(笑)。

石原　あれは法然が言い出したものだ。お釈迦さまは「南無阿弥陀仏」も「極楽浄土」も言っていない。

亀井　他の宗教はどうなんだ。

石原　キリスト教は、単なるイエス・キリストの一代記。イスラム教は、アッラーの言うことが絶対。仏教に比べて深みが違うよ。

「永遠」につながる時間

亀井　そもそも、哲学的とは一体どういうことだ。

石原　哲学とは、時間と空間と存在について考えることだ。
　ここにコップがある。アリストテレスによれば、どうしてこんな形状をしているのかではなく、コップが存在していること自体を不思議がる。時間とともに変わってゆく存在の意味を探るのが哲学で、仏教はそれを備えているんだ。近く、『法華経』の現代語訳を本にするが、お釈迦さまは存在と時間について見事に説いている。アインシュタインの相対性理論では、我々が持っている感覚では摑めない位相の時間があるとされる。『法華経』には、これと同じようなことが書かれているんだ。

例えば一時間、二時間、二十四時間といった時間概念を超えた、「永遠」につながる時間の存在があって、この途方もない時間が地球を動かしてきたと。

亀井　なんだか難しい話だな。

石原　それだけじゃない。お釈迦さまはあるものを砕いて塵にし、その塵の一つをつたいながら、意識の上ですさまじい数の国々（＝宇宙）を遍歴していく。この話を読んだとき、車椅子の理論物理学者ホーキングを思い出した。

ホーキングが東京で講演したとき、僕は聴きに行った。

聴衆の一人が「宇宙全体で、人間のように高度な文明を備えた生物が住む天体はいくつありますか」と質問すると、彼は「三百万」と答えた。別の聴衆が「であれば、なぜ我々は実際に宇宙人や宇宙船を見たことがないのか」と尋ねると、「地球並みの文明を持つと自然の循環が狂ってしまい、そういう惑星は宇宙時間からすれば一瞬で滅んでしまうから」と返ってきた。衝撃を受けた僕は、「一瞬とは地球時間にして何年ですか」と質問したら、「百年」と。

亀井　そんな大層なものかね。人間は死ぬのが怖いから、宗教をつくって「南無阿弥陀仏」と唱えれば往生できると信じ込んでいるだけだ。無宗教でも、それなりの死生観を持っている人はいるよ。

結局、すべては「虚」なんだ。自殺した西部邁さんは、もともとマルクス主義に傾倒していた。そんな彼でも、自分の存在が「無」であることに気づいた。で、最後は「無」に帰したくなって川に飛び込んだわけだ。

石原　西部さんは、周りの助けを借りて自殺したから情けないよ。そんなに死にたいのなら、飛び降りれば済む話だ。

亀井　一人で入水すると、流されて土左衛門になってしまう。それが嫌だったんだろう。石原さんは一人で死んでくれ。自殺幇助（ほうじょ）で捕まるのは御免だからな（笑）。

三島由紀夫さんの割腹自殺を見て、石原さんは「先を越された」と思ったんじゃないか。

石原　バカを言うな。三島さんのことは敬愛していたけど、同時に軽蔑もしていた。肉体と精神、生と死、文と武について書いた『太陽と鉄』は、虚飾に満ちている。嘘を見抜いたドナルド・キーンは、「全体として、なんともいえない不愉快な作品」と酷評していた。

亀井　三島さんは、自分の身体にコンプレックスを感じていたよ。

石原　いくらボディビルで肉体をつくり上げても、何の役にも立たないのに。あれほどの運動音痴は見たことがない。

三島さんは『からっ風野郎』(監督：増村保造)という映画に主演したことがある。ヒロイン役の若尾文子に灰皿を投げつけるシーンがあったが、上手く投げられない。助監督とキャッチボールして投げ方を練習したけど、下手クソなまま。手首が返らないから、剣道をやっても、竹刀を手拭いを絞るように握れない。手を添えるだけなんだよ。

老いてこそ人生

亀井　石原さんは『太陽の季節』から始まって、誰もが憧れるカッコいい人生を送ってきた。残された課題は、どんな死に様を見せるか。でも、石原さんは死ぬ機を失したな。九十のジジイが美しく死ぬなんてハナから無理なんだ。

石原　あとは、老いぼれながら生きながらえるしかないよ。

亀井　自己に忠実すぎて死を選ぶやつは、たいてい若い時に死んでいる。

石原　『老いてこそ人生』（幻冬舎文庫）という本を書いたけど、老後にこそ生きがいを見つけるべきなんだ。良い年の取り方をしている人はいくらでもいる。

　つい先日亡くなったけど、国連難民高等弁務官だった緒方貞子さんはその一人。僕は病気で倒れた後、次男と一緒にマシンを使ってテニスの練習をしていた。すると緒方さんがやって来て、「頑張って続けなきゃダメですよ。私も暇ですから、いつでもお相手します」と。病み上がりの「テニス難民」を救済してくれたんだ（笑）。

亀井　見上げたものだ。

石原　秋山好古（よしふる）は、八千の騎兵を率いて、機関銃を駆使しながら十万の兵からなるロシア軍を追い払った。この日露戦争の英雄も、老いてなお生きがいを見つけるんだ。秋山は退役後、故郷・松山で中学校の校長になった。時間に正確で、六年にわたって無遅刻無欠勤。登校する秋山の姿を見て人々は時計の針を正した、なんて逸話もある。

三島さんは、老後の生きがいなんて考えもしなかっただろうな。このまま自分を欺き続ければボロボロになってしまうだろうと自己嫌悪に駆られて、最後に大見得を切った。

第二の天安門

亀井　生きがいを見つけなきゃダメだな。そこで名案がある。いま香港で、中国共産党に反乱を起こしている連中がいるだろう。わかっているだけで、すでに死者は二名。警察がデモ参加者に実弾を発砲する映像も流れている。

石原　いずれ、香港で大殺戮が始まるだろう。第二の天安門事件だ。
亀井　そこで、我々の出番というわけだ。あいつらを助けてやるのは面白いんじゃないか。
石原　いいね、やろう。来年（二〇二一年）の春、習近平が国賓として来日する。どうせなら、その前に鼻をあかしてやろうじゃないか。でも、一体どうやって助けるんだ。
亀井　日清戦争の後、広州で武装蜂起を企てた孫文は、密告され日本に亡命した。孫文を支援した頭山満を参考にすればいい。
石原　四十年以上前、フィリピンのマルコス政権下で親友だったベニグノ・アキノが投獄され、死刑を宣告された。すると僕に、内通者から「なんとかアキノを救出できませんか」と手紙が届いた。送り主は、裁判中のアキノの堂々たる態度に感銘を受けた青年将校。
　フィリピンに乗り込んでアキノを助けようと思ったけど、資金が足りない。知り合いに援助を求めると、「俺も一緒に行くぞ」と条件を出された。仲が良かった彼の息子からも、「親父は本気だ。二人が行くなら俺も行く」と。そうこうしているうちにアキノは病気で倒れ、治療の名目でアメリカに亡命させられた。

一矢報いる

亀井 その時できなかったことを、今やろうじゃないか。

石原 命がけの仕事は好きだよ。リーダー格の三人くらいを日本に亡命させて、自由に反共産党政府キャンペーンをやらせてあげればいい。

亀井 中国は全力で阻止してくるだろうな。

石原 堂々としていればいいんだ。僕はチベットのダライ・ラマと仲が良くて、東京都知事時代にも彼を助けるために何回か会ったことがある。日本政府は、「都知事という立場なんだから会わないでくれ」とお願いしてきたよ。いったい、何を恐れているのか。

亀井 本来なら、日本政府や国会議員が声を上げるべきなんだ。でも今の政治家は、中国に及び腰で何も言えない。

昔の政治家は、青嵐会のメンバーを見ればわかるように、実行力のある威勢のいい連中が多かったんだが。

石原　政府も国会議員も、まったく頼りにならない。僕たちが有志でやらないとダメだ。

亀井　香港は中国経済の心臓だ。香港を失ったら、中国共産党政権は崩壊する。

石原　一矢報いてやりたいな。久々に胸躍るね。

（『Ｗｉ Ｌ Ｌ』二〇二〇年一月号）

第二章

文在寅？ つくづくバカなやつだね

韓国軍は立ち上がるか

亀井 韓国がGSOMIA（軍事情報包括保護協定）の破棄を二〇一九年十一月に撤回した。最終的には、アメリカからの圧力に屈したんだろう。

石原 つくづく、バカなやつだね。

亀井 日本相手なら、ちゃぶ台返しが許されると思っている。ナメられている証拠だ。

石原 強烈な劣等感と、歴史に対する無知がある。

併合は朝鮮が望んでいたことだぞ。日本が放っておいたら、朝鮮半島はロシアの支配下に置かれていただろう。至るところに、黒竜江省のハルビンみたいなロシア風の街ができていたはずだ。

日本による支配は、ロシアの圧政に比べたら天と地の差。結果的に良い選択だった。

亀井　でも、それは「奴隷の繁栄」にすぎない。支配された方にとっては、やはり屈辱的な歴史だ。

石原　インフラは充実し、教育制度も整備された。それまでの朝鮮半島ではあり得なかった現象が起きたわけだ。

歴史は遠くから眺める必要がある。その視点がなければ、日韓関係の本質はわからない。

亀井　日本統治に対して、さほど不満がなかったことは事実だ。その証拠に、朝鮮人は組織的な反乱を起こしていない。しいて挙げれば、伊藤博文を暗殺した安重根くらいか。

石原　それにしても、文在寅に振り回されっぱなしの韓国軍は何をしているのかね。

戦後の韓国史をみれば、政治の原理はすべて軍が絡んでいることがわかる。李承晩の後、軍人の朴正熙が大統領になった。その朴を暗殺したのも軍だ。軍事政権を築いた全斗煥は、金大中らリベラル勢力を光州で弾圧した。

韓国人は権威に弱くて卑屈な民族だから、軍を絶対的な存在だと思っている。

亀井　文政権下で、南北朝鮮はすでに蜜月状態だ。軍レベルで行動を起こすのは、なかなか難しいんじゃないか。

石原　トランプが韓国軍にクーデターを唆せばいい。韓国軍が政府をつくれば、アメリカ寄りになるのは決まっているんだから。

亀井　アメリカに「このままじゃ、在韓米軍を撤退させるぞ！」と脅かされれば、韓国軍が動くかもしれない。トランプは力の政治家だから、逆らう者には容赦ない。

石原　アメリカにとって、韓国の意味合いは何なんだ。

亀井　数ある植民地の一つだよ。ここ最近、経済で中国の影響力が増しているけど、在韓米軍がいる限り、アメリカの支配下にあることは変わらない。

石原　じゃあ、アメリカにとって日本はどういう存在だ。

亀井　最も従順なポチにすぎない。でも今の時代、日本の米軍基地なんて必要なくなってきている。基地があるから攻撃対象にされるんだ。日本政府は米軍をグアムまで引かせればいい。

ローマ教皇は中国に行け

石原　在日米軍撤退となれば、いよいよ日本は核を持たなければならないな。

亀井　でも、日本人の核に対するアレルギーは根深い。

石原　非核の理念が、核保有国に囲まれている危険な現実に勝ってしまう。こんな国際状況の中でも、核保有の議論が一向に聞こえてこないなんて、まったく能天気な国だよ。ド・ゴールは、核兵器の保有資格が一番高いのは日本だと言っていた。

亀井　核兵器を持てる技術はあるけど、敢えて持たない。そこに意味があるんじゃないか。来日したローマ教皇も、長崎で核廃絶を訴えていただろう。

石原　なんで日本で言うんだよ。アメリカや中国に行って言わないと意味がない。

亀井　どっちにしろ、アメリカは日本の核武装を許さないよ。子分が強い武器を持つなんて、嫌に決まってる。

石原　確かに、アメリカは核に対する潜在的な恐怖心を持っている。広島と長崎に原爆を落とした贖罪意識から来るものだ。でも、抑止力は攻撃力じゃない。日本人はそこを勘違いしている。

亀井　石原さんは湘南ボーイだから、日本がアメリカに支配されているという意識がないんだ。進駐軍にチューインガムをもらって、飼いならされてしまったからな（笑）。

石原　バカを言うな。アメリカは日本にひどいことをしたんだ。いつもそう考えながら、付き合い方を考えてきたよ。

亀井　広島と長崎だけじゃない。東京大空襲も残虐だった。

石原　日本が制空権を失っているときに、B29で絨毯爆撃するような国だよ。参謀たちは反対していたけど、司令官のルメイが「日本人は汚いから、焼いてきれいにするんだ」と言って強引に踏み切った。

　あれほど大きな大陸をインディアンから奪って、大陸横断鉄道は支那の奴隷につくらせた。有色人種への強烈な差別意識がいまだに残っていることを忘れてはならない。

中曽根に外されたハシゴ

亀井　中曽根さんが二〇一九年十一月二十九日に亡くなった。百一歳、大往生だな。

石原　あの人、僕は大嫌いだったね。

　一九七五年、三木武夫内閣の時代に、僕は無理やり都知事選に駆り出された。当初、共産党が担いだ美濃部亮吉の対抗馬として、宇都宮徳馬が候補に決まっていた。ところが都知事選の二週間前、宇都宮が辞退したんだ。

亀井　で、石原さんに御鉢が回ってきたと。

石原　そう。悪い予感が的中したんだよ。

　三木さんから「ぜひ会って話したい」と伝言が届いた。言われるまま彼の別荘を訪ねると、「あなたなら美濃部に勝てるかもしれない。自民党を、いや日本を救うために出てくれ」とお願いされた。僕が断れば、美濃部が無競争で三選されることになる。民主主義に対する冒瀆であり、民主主義の死滅につながりかねない――そう思って、敗北を覚悟で引き受けることにした。

その後、政治家の出処進退を相談するために後援会幹部を集めると、中曽根さんがやってきた。そこで彼は、「石原を出す限りは党として全力を挙げる。万が一の時には、自分が男としての責任をもって必ず骨は拾ってやる」と大見得を切ったんだ。

亀井　頼もしいじゃないか。

石原　いや、続きがある。結局、都知事選には敗れ、僕は数千万の借金を背負ってしまった。肩代わりしてくれないかと中曽根さんのもとを訪ねると、「借金は選挙につきものだ。負けたのは君の責任なんだから、黙って払うのが男の甲斐性というものだ」とにべもなかった。見事なまでの酷薄に、かえって感心したよ。

亀井　ハシゴを外されたのか。ヒドい話だな。

功罪相半ばする

石原　靖國問題の元凶も中曽根さんだ。一九八五年の終戦記念日、総理大臣として初めて「公式参拝」した。でも翌年から、中国に気を遣ってパタッとやめてしまったな。

亀井　中曽根さんは後に、「友人の胡耀邦を守らなければならなかった」と発言している。靖國参拝によって、胡耀邦が中国共産党内で不利な立場に追い込まれるんじゃないかと心配したんだよ。

石原　そんなの、理由にならない。金が出たんじゃないのか。僕が怒鳴り込んだら、「靖國と日中関係、どっちが大切かわかるか。私は、参拝する政治家の一人でしかない」と言い放ったよ。

亀井　あれから、総理大臣が靖國に行かなくなってしまった。

石原　小泉純一郎はカッコつけて参拝していたけどな。拝殿にも上がらず、賽銭箱に小銭を投げただけで帰ってしまったけど。

亀井　自民党は、中曽根さんに比例代表の「終身名簿一位」を約束していた。つまり、選挙を戦わなくても自動的に当選できた。そんな中曽根さんに引導を渡したのは、小泉さんだった。私もその場に同席していた。

小泉さんが「議員じゃなくても立派に活動できるじゃないですか」と引退を迫ると、

中曽根さんは「君が決めることじゃないよ、無礼者！」と激怒。その後も、「これは一種の政治的テロと同じ。爆弾を投げたようなものじゃないか」と不満を漏らしていたな。

石原　F2戦闘機の国産独自開発を中止して、日米共同開発に切り替えたのも中曽根さんだ。僕が批判すると、「アメリカを怖がらせない方がいいんだよ」と。まさに、アメリカのポチじゃないか。

亀井　中曽根さんの評価は、功罪相半ばしている。でも、「国家とは何か」を考えさせる政治家だったことは間違いない。

石原　一国の宰相として抜群の能力があったのは田中角栄だ。

亀井　土建屋の嗅覚だな。どうすれば良いハコモノをつくれるか、どうやれば良い土木ができるかを本能的に知っていた。

石原　大きな発想力があった。日本列島改造論が最たるものだ。いま日本では、各県に空港があって、新幹線が通って、網の目のように道路が整備されている。これは全部、角さんのおかげだよ。狭小で使いにくい国土を、これだけ有機的にした功績は大きい。

角さんは金の使い方が見事だった。渡した金は絶対に返ってこない、という哲理と信念があったな。

亀井　私も相当な金をばらまいたから、「小角栄」と呼ばれていた（笑）。「金を配る」と言うと、ダーティな印象を持つ人が多い。でも、政界を渡り歩くための道中手形なんだ。そもそも、金で政治を支配なんかできやしない。敵の攻撃を少しばかり和らげるくらいが関の山だろう。

石原　自民党の総裁選は金の流通を加速させたね。池田勇人、佐藤栄作、藤山愛一郎、灘尾弘吉の四人が争った一九六四年の総裁選挙では、「ニッカ、サントリー、オールドパー」と言われた。

亀井　二派から金をもらうと「ニッカ」、三派からは「サントリー」、四派すべてから受け取ったら「オールドパー」と（笑）。よく言ったものだ。

石原　そんな時代はさすがに終わったね。

無知を利用する

亀井　シンゾーはいつまで総理をやるんだ？　相次いで大臣が辞任したけど、これは典型的な政権の末期症状だよ。

石原　安倍君は完全に国民から飽きられている。嫌われるより飽きられる方が怖い。

亀井　嫌われたらダメな部分を反省すればいいけど、飽きられたらどうしようもないからな。

石原　「桜を見る会」が問題になっているけど、野党は攻め方が稚拙すぎるよ。

亀井　野党からは、政権を倒そうという気迫が感じられない。先日、国民民主党の玉木に、「お前たちは野党じゃない。野党のフリをしているだけだ！」と一喝してやった。

かつての社会党は、共産党を除けば唯一の野党だったから、政権からも国民からも大切にされた。それでいて、政権を担当しないから好き勝手なことを言える。今の野党も、ぬるま湯につかっているんだ。

石原　野党は言葉ってものを知らないな。

　僕なら安倍君に、「あなたは桜を見る会で支援者をもてなしたのに辞めない。あなたの部下だった菅原一秀は、支援者の葬式に香典を届けただけでクビになった。かわいそうだと思いませんか」と意地悪な質問をしてやる。

「思います」と答えたら安倍君の負けだよ。「思わない」と言っても印象は最悪だ。


亀井　政治家は、頭がいいだけじゃ務まらない。

　高橋辰夫（北海道選出の自民党政治家）という、容貌魁偉（ようぼうかいい）で、知的な匂いは一切しない男がいた。彼との一番の思い出は、一九八一年の銀行法改正だな。

　大蔵省の改正案を受けて、中尾栄一先生から「亀ちゃん、全銀協（全国銀行協会）が、あんな改正をやられたら銀行業界はもたないと嘆いていた。助けてやってくれ」と頼まれたんだ。私は銀行業界とは何の関わりもなかったけど、義理人情で「わかった」と言ってしまった。全銀協からレクチャーを受けるとき、一人で聞くのも何だと思ったから、高橋を呼んでみたんだ。付け焼刃のにわか勉強だったよ。

　その後、大蔵省の銀行局長が私と高橋のもとに説明しにきた。法案を通すためには、自民党の承諾を得なければならないからな。私たちは素人だから、向こうのペースで話が進んで丸め込まれそうになった。すると高橋が、「銀行法の銀行と、子供銀行と、血液銀行の違いを教えてくれ」と、意味不明な質問をぶつけたんだ（笑）。

石原 無知なやつだな（笑）。

亀井 銀行局長は「そんなこと言われても……」と唖然。俯いたまま黙ってしまった。高橋はここぞとばかりに、「こんな質問すら答えられないようでは、審議に応じられない！」と声を荒らげた。結局、大蔵省はお手上げ。全銀協と修正協議をすることになったわけだ。

石原 無知を利用したわけか。

スルメのように噛んでも味がしない「ポスト安倍」候補者

亀井 シンゾーは、後継者を選ぶ気がなさそうだな。かといって、シンゾーを引きずり降ろす気概のある議員もいない。禅譲を狙っているようじゃダメだ。歴代自民党総裁は例外なく、「俺がやる！」と言って出馬した人間だった。

マスコミは、菅義偉と岸田文雄が「ポスト安倍」の有力候補だと報じているそうだ。

石原　岸田からは「沈香も焚かず屁もひらず」みたいな印象を受ける。菅もつまらない男だ。番頭どまりで、総理の器じゃない。

亀井　どちらも表情が硬い。もっと笑顔を見せないと、男としての艶が出ないよ。スルメみたいになってしまう。

石原　あいつら、いくら噛んでも味がしないだろう（笑）。

亀井　いっそのこと、石原さんがシンゾーに引退勧告してくれよ。でも、伸晃が人質に取られたままじゃムリか（笑）。

石原　石破茂も出馬するだろうから、伸晃も一緒に出ればいい。「石石連合」で安倍君に一矢報いれば、存在感を出せるよ。

今の自民党には、自分の人生を自分で切り開いてやろうという度胸と覚悟を持った議員がいない。みんな腑抜けだよ。

亀井　石原さんみたいなスーパーマンを求めてもしょうがない。でも最近は、そのスーパーマンも覇気がなくなってきたけどな（笑）。

石原　何を言っているんだ。まだまだ元気だよ。

亀井　なら、久々に官邸に乗り込むとしよう。

春に習近平が国賓来日するらしいじゃないか。シンゾーに「ふざけるな！」と言ってやろうよ。

石原　面白そうだな。よし、行こう！

（『WiLL』二〇二〇年二月号）

第三章

誰か勇気のあるやつが、習近平をやっつけてくれないかな？

「慎太郎死す」のデマを流したのは誰だ？

石原　二〇二〇年の新年早々、朝日新聞の記者が自宅にやってきた。秘書が対応したんだけど、そいつは「石原さんが亡くなったそうですが、何時頃ですか？」と聞いてきたらしい。

その後、新聞社やテレビ局から次々に電話がかかってきた。

亀井　私にも、週刊誌から「石原さんがお亡くなりになったそうで……」と電話があった。「巨星堕つ」と言ってやりたいところだが、否定しておいたよ（笑）。

石原　いったい、誰がデマを流したんだ。

亀井　「風の噂」ってやつだよ。フェイクニュースの時代だから無理もない。どうせなら、葬式をやればいいんだ。弔問に訪れる人たちが石原さんについて何を語るか、気になるだろう。

石原　悪口を叩く連中がいたら、「死んだと思った石原さん、生きていたとはお釈迦さまでも気がつくめぇ！」と背後から現れてやろう（笑）。

　織田信長が好んだ小歌に、「死のうは一定、しのび草には何をしよぞ、一定かたりをこすよの」というものがある。

亀井　人はいつか死ぬんだから、後世に語り継がれる偉業を成し遂げる必要があると。でも我々は、「人生五十」どころか「人生八十」もとうに過ぎてしまった。

石原　今年（二〇二〇年）で僕は米寿、亀ちゃんは八十四か。お互い、ずいぶん年を取ったな。

亀井　でも、まだまだ死ねない。トランプと習近平の野郎が、世界を分割して威張りまくってやがる。

天国へ行く前に、あいつらの鼻を明かしてやりたいよ。アメリカと中国が世界のすべてを決めてしまうから、日本の存在意義がなくなってしまった。

石原　誰か勇気のあるやつが、習近平を暗殺してくれないかな。

亀井　イランのスレイマニ司令官は、米軍に殺されてしまった。ニュースを聞いて震えているのは、金正恩じゃないか。

石原　いざとなったら、アメリカは敵を本気で殺しにかかる。そういう国なんだと、改めて痛感しただろうな。実際に米韓軍事演習では、特殊部隊が平壌に直接乗り込む「斬首作戦」の訓練をしている。恐れた金正恩は、行動スケジュールを公表していないそうだ。

亀井　アメリカは執念深い国だよ。「イスラム国」指導者のバグダディも潜伏先を米軍に襲撃され、自爆して死んだ。

石原　九・一一の報復のために、ビンラーディン暗殺を十年がかりで実行する国だからな。最後はパキスタンに潜伏していたところを殺（や）った。

〝カラス天狗〟のゴーンの〝高飛び〟

亀井　保釈中のカルロス・ゴーンがレバノンに二〇二〇年、新年早々に逃亡した。箱の中に隠れてプライベートジェットで逃げる――まるで『スパイ大作戦』だな。二〇一九年末、ゴーンはハリウッドの映画プロデューサーと面会していた。そこで、すでに逃亡劇の映画化が話し合われていたらしい。

石原　完全に日本をナメきっている。ゴーンが主宰するパーティーに招待されたことがあるけど、やたら偉そうにふんぞり返っていて不愉快だった。〝カラス天狗〟みたいな男だよ。

亀井　その〝カラス天狗〟が、本当に〝高飛び〟するとはな（笑）。

石原　かつて日産には、川又克二さんという立派な社長がいた。彼には色々とお世話になったものだ。

裕次郎主演の『栄光への５０００キロ』という映画がある。風来坊のレーサーが、日産のダットサン・ブルーバードを駆ってサファリラリーに挑戦する物語だ。日産の社員は映画化に前向きだったが、上層部まで話が及んでいなかった。そこで、僕が川又さんに直談判した。彼は「ぜひやろう！」と快諾してくれたよ。

亀井　柔軟性のある男だ。日本から、即決即断の経営者がいなくなってしまった。

石原　まったくだ。『西部警察』の撮影で、裕次郎に「警察や犯人が使う車を数十台用意できないか」と頼まれたことがある。川俣さんに「弟が車を欲しがっているんです」と相談すると、「裕次郎君は車を持ってないのか」と驚かれた（笑）。「ドラマで使うんです」と言ったら、「悪い犯人に日産車を使わせないなら結構」と返されたよ（笑）。川又さんじゃなければ、こんな無理は聞いてくれなかっただろうな。

亀井　川又さんが第一線から引いた後、日産の経営はおかしくなってしまった。

石原　自動車総連会長だった塩路一郎が権力を握り出してから、日産の凋落が始まる。彼は僕の選挙区に住んでいて、選挙の手助けもしてくれた。三河湾に浮かぶ日間賀島で組合の大会をしたことがあるけど、立派なヨットを持っていた。

亀井　労働貴族だな。日産社内では労組が幅を利かせていて、塩路に文句を言える人間がいなかった。経営が傾いた日産に、フランスから鳴り物入りでやってきたのがゴーン。「コストカッター」なんて持てはやされたけど、社員のクビを切っただけ。さんざん日本人を食い物にした挙句、天罰が下る前に逃げやがったんだ。

自衛隊クーデター計画を潰した

亀井　株式会社より同族会社がいい。〝株主様〟の意見に従っているようじゃ、何も決められないよ。トップダウンで企業は強くなるんだ。

石原　二〇一九年末、亀ちゃんの会社の忘年会に参加したけど、全国から社員を集めて大演説をぶっていたな。でも、あれは激励じゃなくて恫喝(どうかつ)だったね(笑)。

亀井　「オレに文句があるやつは会社を去れ!」と言っただけだ。オーナーが社員におべっかを使い出したら、その会社はおしまいだよ。嫌なら別の仕事を探せばいい。私も警察をスパッと辞めて政治家になったんだから。

石原　警察の仕事、嫌いじゃなかっただろう。実際、立派な仕事をしていた。

亀井　捜査二課長だった頃は、贈収賄事件で手柄を立てまくったからな。私がいれば、警視庁も東京地検特捜部も出る幕ナシ。でも、目立ちすぎて後藤田正晴さんに睨（にら）まれた（笑）。で、捜査から警備に異動させられたんだ。それからは〝極左退治〟の日々。成田空港事件、あさま山荘事件、テルアビブ空港乱射事件……色々あったな。

石原　今だから言えるが、自衛官のクーデター計画があったらしいな。

亀井　部隊長クラスが夜な夜な集まって、クーデターを計画していた。情報を事前にキャッチしたけど、自衛隊が混乱するから表沙汰にはできない。防衛庁には理由を言わず、首謀者を地方に飛ばすよう要請した。

石原　何のためにクーデターを起こそうと思ったのか。

亀井　当時、自衛隊員は差別されていた。武人は名誉を求めるもので、「国軍」扱いされないことに不満を抱いていたんだ。

石原　そういうことなら、見逃してやればよかったのに（笑）。

亀井　成功するんだったら、応援してやってもよかった。でも、失敗が目に見えていたからな。だから仕方なく潰すしかなかったんだ。

石原　それに比べて、三島由紀夫さんのクーデターは〝ちゃち〟なものだった。話にならないね。

亀井　アメリカとイランが対立して、中東情勢は混乱を極めている。そんななか、中東海域に自衛隊が派遣されることになった。でも、肝心のホルムズ海峡には入れないらしい。

石原　僕が運輸大臣に就任したとき、イラン・イラク戦争の最中だった。アメリカをはじめとする各国の船が危険に晒(さら)されるなか、日本のタンカーは難を逃れていた。日本のタンカーが集まって一つの船団を組んで、イラン側と秘密で決めた番号が書かれた旗を立てる。その旗を立てている限り、攻撃されることはなかったんだ。

亀井　イランには親日家が多いから、日本を特別待遇してくれる。

石原　それに気づいたスウェーデンが、自分たちも仲間に入れてほしいと頼んできた。でも、メンツを保ちたいレーガン政権は、日本に〝船団方式〟を止めるよう圧力をかけてきたんだ。

亀井　アメリカの言いなりになる必要はない。

石原　でも、外務大臣の安倍晋太郎さんはアメリカの話に乗ろうとしたんだ。僕は、首相だった竹下登さんを訪ねて大反対した。かつて、「今日も学校へ行けるのは、兵隊さんのおかげです」という歌があった。「今日も電気が灯るのは、船員さんのおかげです」と言うべきだと提案すると、竹下さんは喜んでいたよ。結局、官邸にタンカーの船員を呼んで表彰することになった。

そんな歴史を知ったうえで、自衛隊は自国のタンカー護衛にあたる必要がある。

アメリカのポチではない挙国一致内閣を求む

亀井　中国共産党はウイグルで人権弾圧、香港で民主化を阻止しようとしている。にもかかわらず、シンゾーは習近平を国賓で招くつもりだ。あんなやつを天皇陛下に拝謁させるとは、どうかしてるよ。

石原　二階俊博が道筋をつけたんだろう。

亀井　しかし、最終決断を下したのはシンゾーにほかならない。

本来なら野党が反対すべきだけど、なかなか批判の声は聞こえてこない。野党は、政権交代の意欲を失っている。議席を確保できれば万々歳、じゃダメだよ。

かつて「暴力革命」を標榜していた共産党ですら、いまや野党の身に甘んじている。共産党がダメになったのは、暴力革命を否定するようになったから。〝暴力装置〟を持つ政権をひっくり返すには、こっちも暴力で対抗しなければイカン。

石原 かつては極左を取り締まっていた亀ちゃんが、そんなことを言うとはな（笑）。

亀井 それくらいの気概が必要、という話だ。

石原 「桜を見る会」問題でも、野党は攻めあぐねていた。通り一遍の言葉を並べて、批判した気になっている。誰かが野党に、人の心をくすぐる言葉を教えてやればいい。

任命した大臣が後援者に香典を届けただけで首になり、当の総理は国費で後援会の者を何百人ももてなし平気でいる。人情からしても、首の大臣は哀れで、いかにも不公平じゃないかね。

亀井 石破茂はシンゾーを批判しているけど、本気が感じられない。血刀を振るうような気骨ある政治家がいなくなってしまった。我々の時代は、自民党の内部で熾烈な権力闘争が行われていた。派閥が政党の役割を果たしていたから、自民党内で政権交代が起こるようなものだ。

いっそのこと、国民民主党の玉木雄一郎が石破を担げばいい。立憲民主党の枝野幸男も取り込んで、石破を首班指名するんだ。安倍政権に玉砕覚悟で突撃すれば、自民党が割れるかもしれないぞ。

石原　自民党を割ってどうするんだ。

亀井　アメリカのポチにならない〝挙国一致内閣〟をつくる！

米国に「ノー」と言える「瑞穂の国」らしさ

石原　日本人の潜在意識の中に、アメリカに対する劣等感を踏まえた反感のようなものがある。だから、『「NO」と言える日本』（光文社）が百万部以上も売れた。敗戦の屈辱が、いまだに尾を引いているんだ。

亀井　その一方で、中国の命令には従わないけど、アメリカの言うことは聞く。中国が好きな野党も、決して反米を掲げることはない。日本人全体が完全に飼いならされて、魂を抜かれてしまった。

石原　戦争で敗れたアメリカと、連戦連勝した「チャンコロ」呼ばわりの中国との違いだ（笑）。そんな中国にも、経済で抜かれてしまったけどな。

徒にトランプとケンカする必要はないけど、アメリカに「手ごわい」と思わせられる日本にならなくちゃいけない。どうやったら、日本なりの存在感を示せるかな。

亀井　「瑞穂の国」らしさを追い求めるべきだろう。でも日本は、アメリカや中国のマネをしている。これじゃあ、コンクリートとプラスチックとＩＴだけの世界になってしまう。石原さんと私は、「瑞穂の国」の最後の住人になってしまうかもな。

石原　日本中、どこにいっても同じような建物が並んでいる。ローカリティがないんだ。

亀井　高層ビルだらけの東京は、ソウルと区別がつかない。

石原　ＩＴの登場で、人間が精神的に衰弱する時代になってしまった。

亀井　文学の世界もＡＩに支配されて、石原さんのような天才が現れにくくなるだろうな。

石原　ネットのせいで、若者が本を読まなくなったのが心配だよ。本を読まなければ、真の教養を身につけることはできない。文化遅滞（カルチユラルラグ）が起こってしまい、自分なりのドグマを持つ人間がいなくなった。

スマホで調べて物事を知った気でいるけど、深い考察はできない。日本人独特の感性が死ぬと、社会全体の発展も阻害されるだろう。

亀井　今みたいな時こそ、石原さんのような男が必要だ。議員バッジをつけているかどうかなんて関係ない。

神様が意地悪なのは、石原さんに文学者と政治家の両方の才能を与えてしまったこと。どっちつかずの「虻蜂（あぶはち）取らず」になってしまったからな。

石原　バカ言うな。政治家時代も良い小説をたくさん書いていたよ。教養がない亀ちゃんは読んだことないだろうけど（笑）。

（『W・i・L・L』二〇二〇年三月号）

第四章

習近平がコロナウイルスと共にやってきたら即追い返せ！

災いをもたらす中国の独裁者は日本に来るな！

石原　新型コロナウイルスが猛威を振るっているだろう。

亀井　中国は、つくづくトンデモない国だ。あんな国、地上から消えてしまった方がいいよ。

かつて欧米では、黄禍論が叫ばれていた。発端はドイツのヴィルヘルム二世。その尻馬に乗って言わせてもらえば、今も昔も世界に災いをまき散らすのは中国人なんだ。だってペスト、SARS、鳥インフルエンザ……みな中国発じゃないか。

石原　西洋人から見れば、中国人も日本人も同じ黄色人種にすぎない。

亀井　日本は他国に迷惑をかけてないけど、中国は世界の厄介者だ。ウイグルやチベットでの「血の弾圧」と香港での民主化デモ鎮圧で、国際社会からは猛バッシング。にもかかわらず、日本は習近平を国賓招待するだなんて呑気なことを言っている。

石原　二階俊博が道筋をつけたんだろうな。

亀井　でも、最終的に決めたのはシンゾーだ。はっきり「来るな！」と言わなきゃダメだ。さもないと、習近平はコロナウイルスを連れてやって来るぞ。

石原　習近平が空港に着いたら、ウイルスに感染していないか身体検査すればいい。ウソでもいいから感染していることにして、追い返してやるんだ（笑）。

亀井　それは名案だな（笑）。

石原　ニュースでは連日、横浜港で停泊したままのクルーズ船について報じられている。

亀井　乗客はかわいそうだが、水際作戦をキッチリやるしかない。人権とかナントカ言ってる場合じゃないんだ。武漢からの渡航者を入国制限するだけじゃなく、中国人全員を入国拒否するべきだ。モタモタしていると、どんどん感染が拡大するぞ。

北朝鮮に夫婦で乗り込み、アッキーと拉致被害者を交換したら？

亀井　習近平を国賓招待する理由の一つが、「拉致問題で北朝鮮に圧力をかけてくれ」とお願いするためだとも言われている。自国民を助けるために中国を頼るなんて情けない。

石原　拉致被害者・有本恵子さんのお母さんが、娘に会えないまま亡くなってしまった。実に気の毒だね。

亀井　シンゾーはかねて、「安倍政権で拉致問題を解決する」と豪語していた。でも、一向に前へ進む気配はない。本当にやる気があるんなら、自ら北朝鮮に行って金正恩に会わなくちゃダメだ。

石原　ついこの間まで、「拉致問題進展を前提とせず、無条件で日朝会談を開く」なんて言っていたはずだ。その気になればいつでも行けるだろうに、なぜ行かないんだろう。

亀井　口先だけの男だからな。背広に青いバッジだけぶら下げて満足しているようじゃ、国民は愛想を尽かしてしまう。

政治家たるもの、成功するかどうかわからなくても、まずはチャレンジしなければならない。勝ち負けじゃなくて、戦うことに意味を見出さなきゃイカン。楠木正成だって、勝てるなんて思っていなかったけど最後まで後醍醐天皇を守り続けた。たとえ死ぬとわかっていても戦うのが日本男児ってモンだ。

石原　安倍君は、自分の命を捨てる覚悟で拉致被害者を救出しなければならない。

亀井　北朝鮮に行って、「返すまでは帰らん！」と言って居座ってしまえば、金正恩も困って少しは譲歩するだろうか。

石原　昭恵夫人を連れて行けばいい。「うちの妻を置いていくから、代わりに拉致被害者を返せ」と言うのはどうかな（笑）。

亀井　アッキーはシンゾーより強いから、「夫を置いていきます」と言われちゃうよ（笑）。

石原　ところで、いま政権の方針を決めているのは誰なんだ。

亀井　経産省出身の秘書官・今井尚哉と警察庁から来た国家安全保障局長・北村滋だよ。安倍政権は「官邸主導」ではなく「官僚主導」だ。官邸官僚に牛耳られている。

石原　自民党は何をしているんだ。

亀井　政調会長の岸田文雄は存在感ゼロ。私が政調会長だった時代、スキージャンプにマネた「K点越え」という言葉があった。K＝亀井静香が首を縦に振らない限り、官邸といえど何もできない。それだけ自民党が力を持っていたということ。政党政治を取り戻す必要がある。

石原　石破茂も首相の座を狙っているなら、「私は次の総裁選に出ます」と明言したうえで金正恩に会いに行けばいいじゃないか。今の政治家には、そういうレトリックがないね。

亀井　石破は月刊誌で理論をこねているが、「オレが首相ならこうする」というビジョンが見えない。だから推薦人が集まらないんだ。

「軍神」と呼ばれた男

石原　部屋を整理していたら、広瀬武夫が知人に宛てて書いた手紙が出てきた。島田謹二が著した『ロシヤにおける広瀬武夫』（朝日選書）という名評伝があるけど、これが感動的なんだ。広瀬が真の武人だったことがわかる。

亀井　戦前、広瀬は橘周太と並び「軍神」として崇められていた。

石原　柔道家としても知られていた広瀬を、海軍大臣の山本権兵衛はひどく気に入っていた。のちに海軍大臣になる財部彪に、山本の娘との縁談が持ち上がったことがあるが、それに反対する広瀬は山本の家に乗り込み、「財部はあんたの娘をもらわなくても出世できる男だ」と談じ込んだ。それで山本は、広瀬を面白いヤツだと見込んだわけだ。

亀井　生意気だと嫌われる可能性もあっただろうに、気骨ある男だな。

石原　日露戦争勃発の気配が強まるなか、広瀬はロシア駐在武官になった。ペテルブルクの社交界で、子爵（ししゃく）のロシア海軍中将と意気投合した広瀬は、宮中で柔道を披露する機会に恵まれ、一躍「社交界の華」になった。

そして、大佐の娘アリアズナと恋に落ちたんだ。日本の家族に、「縁ありて碧眼（へきがん）金髪の児をご紹介する時があるなら、御義絶などと御憤慨遊ばれまじきや」と送った手紙も残っているよ。

亀井　それから間もなく、日露戦争が始まってしまう。

石原　乃木希典（のぎまれすけ）が旅順攻略に手こずるなか、バルチック艦隊が太平洋艦隊に合流するという情報が流れた。そこで広瀬は、旅順港で海上封鎖作戦に従事することになる。閉塞船「福井丸」を自爆させ、海に沈める作戦を任されたんだ。

ところが、「福井丸」は敵駆逐艦の魚雷を受けて撤退せざるを得なくなった。そのとき広瀬は、自爆用の爆薬に点火するため船倉に向かった部下の杉野孫七が戻ってきていないことに気づく。広瀬は杉野を助けるため沈み行く福井丸に戻り、船内を三度も捜索したが、彼の姿は見つからなかった。やむを得ず救命ボートに乗り移ろうとした直後、頭部に砲弾の直撃を受け戦死。肉片しか残らなかったという。

亀井　その場面は軍歌にもなっているな。
〽轟く砲音　飛来る弾丸　荒波洗ふデッキの上に　闇を貫く中佐の叫び「杉野は何処、杉野は居ずや」

石原　〽船内隈なく　尋ぬる三度　呼べど答へず　さがせど見へず　船は次第に波間に沈み　敵弾いよいよあたりに繁し

亀井　〽今はとボートに移れる中佐　飛来る弾丸に忽ち失せて　旅順港外恨みぞ深き
軍神廣瀬とその名残れど

石原　広瀬の死はヨーロッパで大々的に報じられ、ドイツでは広瀬の絵葉書まで発行されたほど。広瀬の死を知って卒倒したアリアズナは結局、生涯独身を貫いた。

独裁者と戦ったアキノの思い

石原　広瀬の評伝を読み返して思い出したのは、同じく祖国のために尽くしたベニグノ・アキノのことだ。

亀井　フィリピンの民主化に尽力した男で、石原さんの盟友だ。アキノの「死に様」も壮絶だった。

石原　独裁を敷いたマルコスにとって脅威だったアキノは、アメリカに国外追放されていた。祖国フィリピンでは政治が腐敗を極め、経済は破綻寸前。マルコス陣営に属さない業種の大衆たちは経済的に迫害され、反体制派の教師は、イメルダが面倒を見ているゴミ収集組合の労働者の半分しか給料をもらえていなかった。

ちなみに毛沢東はイメルダを、「典型的な資本主義で堕落した女」と評していた（笑）。

亀井　言い得て妙だな。

石原　窮状を見かねたアキノは、選挙を翌年に控えた一九八三年に帰国を決心する。当初、アキノは日本航空で帰国する計画を立てていた。それを察知したフィリピン政府は、「もしアキノを乗せて到着したら機材の没収だけでは済まず、それ以上の危険を覚悟しろ」と日航に圧力をかけた。

結局、アキノは日航をキャンセルし、台湾経由でフィリピンに向かうことになった。

マルコス自身が台湾と国交を断ち切ってしまった手前、公然と干渉できないと踏んだわけだ。

亀井　マルコスにとって、アキノは目の上のたんこぶ。厄介だから、全力で止めようとしていたんだな。

石原　フィリピンへの帰国直前、台湾からアキノが電話をかけてきた。「どうやらマルコスが、オレが台北にいることに気づいたらしい。外交関係はないけど、あちこちのルートを通じて圧力をかけようとしている。君から台湾政府に話をつけてもらうことはできないか？」と。

さっそく台湾の代表部に電話してみたが留守。やっと自宅でつかまえた書記官の一人が、代表は箱根でゴルフをしていると教えてくれた。箱根のホテルに留守電を残しておくと、代表から電話がかかってきたんだ。「台湾当局はベニグノ・アキノなる人物が、本名であれ偽名であれ、台湾に滞在中であるという情報を一切知りません」と。僕が「それだけですか」と聞くと、「これだけです。わかりますね、これは政治的発言です」と笑いを含んだ声が返ってきた。

亀井　わざと見逃す、ということか。粋だな。

広瀬やアキノのような美しい男が、果たして今の日本にいるだろうか

石原　そのことをアキノに伝えると、「ありがとう。しかし、さっき知人から連絡があり、空港での暗殺計画が準備されていると聞いた。これはオレたちの最後の会話になるかもしれない。慎太郎、お前はオレの心の友だ」と言って電話を切った。

その翌日、アキノを乗せた中華航空の旅客機は予定通りマニラ国際空港に到着した。直後、降りようとする乗客を塞ぐようにして五人の兵士が入ってきて、アキノの両腕をとって地上に連れ出した。そして、数年ぶりに踏む祖国の土の上を数歩も歩かぬうちに、兵士の一人が拳銃でアキノの頭を撃ち抜いた。

亀井　壮絶な最期だったな。この「白昼の暗殺」の様子はすべてフィルムに収められ、世界に放映された。

石原　印象的なのは、アキノがカメラに向かって浮かべた微笑。殺されることをわかっ

ているから、恐怖を押し殺して無理に笑っていた。あのシーンは、今も脳裏に焼き付いている。

亀井　その三年後、マルコス政権は革命によって倒れ、ベニグノ・アキノの妻コラソン・アキノがフィリピンの大統領に就任した。

石原　アキノは生前、「マルコスが私を殺しても、それはただ殺人の成功であり、彼の勝利などではない。私と彼の、いずれが勝ったかは神だけが知っている。私が死を恐れぬ限り、彼は決して私を打ち負かすことはできない」と言っていた。

亀井　まさに、アキノの言った通りになったわけだ。

石原　広瀬やアキノのような美しい男が、果たして今の日本にいるだろうか。政治家から、国を背負っているという意識が感じられないね。

（『W・i L L』二〇二〇年四月号）

第五章

世界中にバイキンをまき散らす中国とは断交せよ！

ＷＨＯを信用するな

亀井　新聞もテレビもコロナ一色。高校野球も一般参賀も中止になった。

石原　今年（二〇二〇年夏）の東京五輪は予定通り開催されるんだろうか。

亀井　さあ、どうだろう。ＩＯＣ（国際オリンピック委員会）は「ＷＨＯの助言に従う」と言っているが……。

石原　ＷＨＯ事務局長のテドロスは、習近平と握手した直後、「中国の対応は素晴らしい」と称賛していた。まるで中国共産党のスポークスマンじゃないか。

亀井　テドロスの母国エチオピアは、チャイナマネーに汚染されている。

石原　中国という国は、都合が悪くなるとカネを配って黙らせるんだ。日本も散々やられてきた。中曽根康弘さんも毒饅頭（まんじゅう）を食わされて、パタリと靖國参拝をやめたし、F2戦闘機の国産化も諦めてしまった。

亀井　日本人は国際機関に妙な幻想を抱いているだろう。今回も、WHOの判断を待っていたから対応が遅くなった。

石原　くだらないね。日本は巨額の拠出金を払っているけど、国連が日本のために働いてくれたことがあるか？　日本もアメリカを見習って、CDC（疾病対策センター）をつくって独自に決めればいい。

亀井　東京五輪が無観客試合なんてことになったら寂しいな。

石原　大相撲の中継を見ていたら、力士は必死で戦っているのに観客がゼロ。奇妙な光景でゾッとしたよ。

亀井　雑音が入らない環境、かえって集中できるんじゃないか（笑）。

石原　あり得ないよ。客がいないのに役者は芝居できないだろう。それと同じで、無観客じゃ戦意が高揚しないんだ。

元部下だった「ガッツ鈴木」が北海道知事になった

亀井　自粛ムードは続くだろうが、シンゾーが小中高の休校に踏み切ったのは良かったんじゃないか。私が総理なら、イタリアみたいに外出禁止令を出しているだろうが。

石原　北海道が、いち早く休校措置をとって称賛された。だから安倍君はマネしたんだろう。自治体の後追いだなんて情けないよ。

亀井　北海道の鈴木直道知事は、もともと都庁の職員だった。石原さんの子分みたいなものだろう。

石原　二〇〇八年、鈴木君は都庁から夕張市に出向した。期限は一年の予定だったけど、本人の希望で一年延長。その後、「もう東京には戻りません」と宣言して夕張市長になったんだよ。

亀井　縁もゆかりもなかった北海道に骨をうずめることにしたわけだ。見上げた男じゃないか。

石原　あれだけガッツのある男はなかなかいないよ。

夕張はだだっ広いところで、東京二十三区より面積が大きい。かつては石狩炭田の中心地として栄え、十万人以上の人口を抱えていた。ところが、炭鉱が閉鎖してからは知っての通り。財政破綻に追い込まれ、人口は一万人を割ってしまった。

鈴木君に「知恵を貸してください」とお願いされて、夕張に行ったことがある。かつて炭鉱夫が住んでいた宿舎が残っていたから、「これをタダでくれてやれ」と言った。東京都も協力して、「北海道で別荘を持ちませんか」と広告を出したよ。夕張には人がいないから、誰でもいいから来てくれなきゃ何も始まらない。

亀井　八年間の鈴木市政下で、三百五十億円あった負債は二百億円に減った。その手腕が評価されて、北海道知事になったわけだ。鈴木君は高卒で都庁に入って、働きながら法政大学の夜間に通った苦労人。だから、菅義偉がかわいがってるんだろう。

石原　若くてガッツのある、有能な人材がどんどん出てきてほしいね。

日中断交せよ

亀井　シンゾーは中国と韓国からの渡航を全面シャットアウトしたけど、決断までに時間がかかってしまった。中国に忖度したからだろう。いっそのこと、中国とは国交断絶すればいい。世界中にバイキンをまき散らすような国と付き合う必要はないよ。

石原　そのためには、日本企業が中国依存から脱却する必要がある。中国に代わって日本企業の下請けとなる、新たな経済植民地をつくらなきゃダメだ。

亀井　中国と貿易をやめたら、多少は貧しくなるだろうが、食うに困ることはない。

そもそも「産業立国」や「経済大国」という言葉自体、日本には似合わないんだ。日本人は畑を耕したり魚を獲ったりして、のんびり暮らせばいい。私が小さい頃は、皆そうやって生活していたんだから。日本人にとって経済的な豊かさも大事だけど、それ以上に精神的な豊かさを求めるべきなんだ。

石原　どの口が言っているんだ。亀ちゃんは、太陽光・バイオマス事業で大成功。いまや社員二千人を抱える〝大企業経営者〟じゃないか（笑）。

亀井　社会貢献の精神でやってきた。事業というのは、儲けようと思って儲かるモンじゃない。石原さんが小説を書くのと同じで、「こんな社会をつくりたい」と未来を描くのが大切。

石原　確かに、何事も発想力が大事だ。政治の世界も、大胆なことを言うヤツがいなくなってつまらなくなった。

動かない官僚は、恐喝してこき使え

亀井　とはいえ、景気が悪いと気分が沈んでしまうのも事実。消費増税で経済が落ち込んだところに、新型コロナが直撃。日経平均はリーマンショック並みに急落している。

石原　日本経済を底上げするためには、大企業に内部留保を吐き出させればいい。二〇一八年末で四百六十三兆円もあるんだから。

亀井　内部留保に税金をかけるべきだ。大衆課税である消費増税なんて、まったく必要なかった。

石原　銀行も貯め込んでばかりで、中小企業への融資を渋っている。何のために存在しているのかすらわからない。だから僕は都知事時代、銀行に対して外形標準課税を実施することにした。資本金や売上高、事業所の床面積といった、企業の規模に課税する方式だ。

亀井　猛反対されるのは目に見えていた。

石原　案の定、大蔵省ＯＢが反対の声を上げたよ。でも山中貞則さんが応援してくれて、なんとか実現できた。

亀井　あとは、どんどんインフラ投資すればいい。近いうち、首都直下型地震が起きるような気がする。だから、災害対策の施設や堤防をつくるんだ。二人で国交省に直談判しようじゃないか。

石原　都知事時代の、羽田空港国際化の一件を思い出す。二〇〇〇年、政調会長だった亀ちゃんと二人で事務次官と交渉。わずか十五分で調査費をつけさせて、それが羽田空港Ｄ滑走路の着工につながった。

亀井　交渉というより、恐喝だったけどな。石原さんは金権政治を嫌ったが、強権政治は得意だな（笑）。

石原　国際化の時代に、世界は時間的・空間的に狭小なものとなっていた。空からのアクセスが国力の維持に必要だと信じて突き進んだけど、いま振り返っても大成功といえる。

亀井　石原さんは横田基地でも闘っていた。

石原　東京の制空権は、今もほとんどアメリカが握っている。横田基地が所管する管制空域が「壁」になって、日本の飛行機は原則ここを自由に飛べない。

亀井　日本国の自立に関わる重大な問題なのに、ほとんどの国民がこのことを知らない。

石原　外務省が腰抜けでどうしようもないから、東京都が立ち上がったんだ。

亀井　石原さんが頑張ってくれて、日米両政府は二〇〇六年に横田基地の管制空域の一部を日本側に返還することで合意。その結果、羽田が国際化することができた。

安倍首相は辞める前に憲法改正を発議すべき

石原　安倍君は飽きられている。政治家は嫌われるより飽きられる方が怖い。

亀井　シンゾーは株価を見ながら政権運営してきた。これだけ経済がガタガタだと、そろそろ引き際だと思っているはずだ。東京五輪後、辞任するんじゃないか。

石原　でも、安倍君の次がいない。コロナ対応をめぐって、いくらでも政府に注文をつけられる。ポスト安倍を狙う連中と野党にとって、国民にアピールする絶好だ。にもかかわらず、チャンスを生かしきれていない。

亀井　事が事だから、変に口出しできないんだろう。石破茂からは、権力を奪ってやろうという気迫が感じられない。後ろを振り返りながら、誰が付いてくるかと窺っている。石破は「水月会」という自分の派閥を持っているけど、衆参合わせて十九人しかいない。総裁選で立つには二十人の推薦人が必要だから、なかなか踏み切れないんだろう。

石原　伸晃に、石破と協力するよう言ってみるよ。安倍君から冷遇されている者同士、手を組めばいい。

亀井　政治家は、どうせ何をやっても批判される。シンゾーは最後に、自分が正しいと思ったことを好きなだけやればいい。

石原　中曽根さんが言っていたな。「政治家の人生は、その成し得た結果を歴史という法廷において裁かれることでのみ評価される」と。

亀井　だからこそ、辞める前に憲法改正を発議すべきなんだ。シンゾーは賛否が分かれる第九条じゃなく、第一条を焦点に議論すればいい。「天皇の地位は、主権の存する日本国民の総意に基く」なんてバカげているよ。天皇は総理大臣や大統領とは違って、国民が選んでいるわけじゃない。日本という国に最初から存在しているんだから。

石原　日本人独特の感性や情念、つまり神道の流れに乗って浮いているような存在だな。

亀井　神道そのものだよ。天照大神（あまてらすおおみかみ）から連綿と続く万世一系だからな。

神風よ、コロナを吹き飛ばしてくれ！

石原　小学五年生の秋、蔵前に相撲を見にいった。その帰りがけ、都電で初めて宮城前を通ったんだ。二重橋の正面にきたとき、乗客はみな皇居に向かって頭を下げている。ぼんやりしていると、ほかの乗客の手前もあってか父親に頭を小突かれた。子供心に「大人たちは本当に天皇を神だと信じているのだろうか」と思ったものだ。

亀井　石原さんは、少年時代から天邪鬼だったんだな（笑）。

石原　ただその後、天皇という存在を本質的に感得させられた体験がある。昭和四十三年、日本武道館で行われた明治百年奉祝式典でのことだ。

当時は佐藤栄作内閣の時代で、会場には昭和天皇以下皇族が迎えられ、多くの政治家や経済人が列席していた。最後に、体育大学の学生たちによるマスゲームが披露されると、司会者が「天皇・皇后両陛下がご退席になります」とアナウンスした。両陛下が降壇し、閣僚の前を過ぎて舞台正面にかかったとき、二階席から「テンノーヘイカッ」と叫ぶ声が響いた。

陛下が立ち止まって声の方向を振り返ると、次の瞬間「バンザーイ」の声。会場に居合わせた一万人が、つられたように「万歳！」と合わせたんだ。プログラムには予定されていなかった出来事(ハプニング)だったけど、陛下は自然に笑みを浮かべていたな。そこには社会党議員も大勢いたが、彼らも万歳を唱えていた。天皇を核にした日本人のアイデンティティを感じた瞬間だったね。

亀井　私も会場にいたから、よく覚えている。むかしは与党も野党も、みな天皇を敬愛していたんだ。社会党の結党大会は、皇居に向かって敬礼する宮城遥拝から始まって「天皇陛下万歳」で締めくくられた。

石原　今の野党とは大違いだな。

亀井　日本人のDNAに、天皇との紐帯(ちゅうたい)が刻み込まれている。日本は「神の国」なんだよ。今回も、神風がコロナを吹き飛ばしてくれるだろう。

石原　八百万(やおよろず)の神々がコロナ退治とは面白い。お手並み拝見といこうじゃないか。

（『Ｗ・ｉＬＬ』二〇二〇年五月号）

第六章

芥川賞・直木賞はマンネリだから石原賞・亀井賞の創設を？

いつか人類は滅びるけど……

亀井　コロナウイルスで世界が混乱している。

石原　人類がウイルスの襲来に慌てふためく——まるで劇画の世界だな。ある意味、小説家にとっては創作意欲が掻き立てられる状況といえるかもしれない。

騒動が一段落したら、今の社会混乱をモデルにした文学作品が出てくるだろうな。

亀井　カミュの『ペスト』（新潮文庫）は、中世ヨーロッパで流行したペストを題材にしている。七十年前の作品にもかかわらず、ここ数カ月で十五万部も売れているそうだ。

石原　ペストについて、詳細な記録は残っていない。ただ、二千万人を超える死者を出したといわれている。これは当時のヨーロッパの人口の、実に四分の一にあたる。

亀井　いくら高度な文明を築こうと、人間も動物の一種なんだ。滅びる時は滅びる。でも、まさか〝人間様〟がウイルスごときに苦戦するとはな。敵はいつも、予想もしないところから登場する。

石原　恐竜だって、隕石が墜落して絶滅するとは夢にも思っていなかっただろう。

亀井　いつ人類が絶滅してもおかしくないわけか。

　生きとし生けるもの、必ず最後に死がやってくる。元気なうちに何をするかが重要だ。私も石原さんも、残された人生はあと少し。街に繰り出してどんちゃん騒ぎしようじゃないか！　コロナが何だ！　矢でも鉄砲でも持ってこい！

石原　亀ちゃん、今年で八十四歳だろう。油断しない方がいいぞ。

亀井　冗談だよ。シンゾーが緊急事態宣言を出したから、どこの店も閉まっているだろう。

「石原都知事」だったらまずは給与カット

石原　新宿の繁華街で感染者が増えていると聞く。

亀井　都知事時代に「歌舞伎町浄化作戦」を断行した石原さんが現役だったら、この期に及んでコソコソ商売を続けているヤツらを一網打尽にしていただろうな。

石原　休業要請を出すか出さないかで、東京都は政府と揉めていた。小池百合子知事は、イマイチ何がしたいかわからない。

亀井　東京都のＧＤＰだけで、メキシコと同規模。つまり、東京都知事ってのは一国の大統領みたいなモンなんだ。

　他の自治体と違って財政に余裕があるんだし、独自の給付金を出せばいい。そうすれば、飲食店や中小企業も自粛要請に納得してくれるだろう。区役所の窓口に行けば、中小企業や個人事業主は三百万、個人は三十万もらえるようにする。それぐらい太っ腹でいいんだ。

石原　政府が一世帯あたり「布マスク二枚」を配るよう決めた。批判されているみたいだけど、国民を納得させる良い方法がある。国会議員と官僚の給料をカットするのが、手っ取り早い人心掌握の手段だよ。

亀井　日本の国会でも、議員歳費を一年間、二割削減する方向で進んでいるみたいだ。当然だな。

フィリピンでは、大統領と国会議員が一カ月分の給与を返上した。大した額にはならないだろうが、政治家が覚悟を示すことで国民はついてくる。

私の会社では、役員の給料を減らす代わりに、二千人の社員全員に「コロナ手当」を六万円支給した。これ以上消費が止まると、日本経済はガタガタになってしまうからな。期間限定でも、政府が消費税をゼロにしてくれたら最善の経済対策になるんだが……。

石原　財務省が許さないだろう。

亀井　アイツら、自分たちの省益しか考えていない。

石原　まずは、会計制度を変えないとダメだ。

亀井　東京都は石原さんの時代に発生主義の複式簿記を導入したが、いまだに日本は単式簿記を採用している。

石原　単式簿記だと会計年度の繰り越しができない。先を見越しての予算管理という概念がないんだ。家庭の主婦だって、家のローンや子供の学費を払うため、積み上げで将来に備えている。

亀井　翌年度に持ち越せないから、年度内に予算を使い切るという発想に陥（おちい）ってしまう。でも、それじゃムダな事業が増えるだけだ。

石原　かつて宮澤喜一が、「年度末になると工事が増えて騒がしくなりますな」とボヤいていた。僕が「会計制度を変えれば解決する」と言ったら、黙ってしまったよ（笑）。

　調べてみると、単式簿記を導入している国は、日本のほかに北朝鮮とフィリピン、そしてパプアニューギニアだけ。

亀井　日本は「財政後進国」だ。

石原　憲法九十条も変える必要がある。「国の収支支出の決算は、すべて毎年会計検査院がこれを検査し、内閣は次の年度に、その検査報告とともに、これを国会に提出しなければならない」とあるが、役人がやっていることを役人が調べても、ただの馴れ合いで終わってしまう。

手洗いする日本の習慣が国内感染を抑えた

亀井　日本も大変な状況だが、欧米の惨状に比べたらマシだ。アメリカやイタリア、スペインは万単位の死者を出している。文字通りケタ違いだろう。

石原　壊滅するヨーロッパを眺めていると、白人国家による世界支配が終焉に向かっているると感じるな。

亀井　世界史の転換点というわけか。そもそも、アジア人は白人より体力も精神力も優れている。これからは黄色人種の時代がやってくるよ。

石原　映画『ゴッドファーザー』を見るとわかる通り、イタリア人は誰かに会うたびにハグをする。

亀井　だから「濃厚接触」が多いのか。

石原　ああ。すさまじいスピードで感染拡大が進んでいる理由は、そこにあるのかもしれない。

亀井　文化の違いは大きいだろうな。日本人は神社を参拝するとき、手水舎（ちょうずや）で手を清める。手洗いの習慣が、民族のＤＮＡに刻み込まれているんだ。八百万（やおよろず）の神々が日本を守ってくれている。

石原　キリスト教は欧米を守れなかったわけか。

亀井　トランプが「見えない敵との戦争」と国民に呼びかけていた。相当、危機感を募らせている。

石原　アメリカ政府高官は、現状を「パールハーバーと似たような状況」と評していたが、白人はすぐ戦争につなげたがるな。

亀井　イギリスのエリザベス女王も、「戦時中を思い出しながら困難を乗り越えよう」と国民に団結を訴えていた。女王は実際に第二次世界大戦を経験しているから、妙な説得力があったよ。日本もそうだが、君主制は国民をまとめることができる。

傲慢な白人による世界支配の終わり

石原　それにしても、イギリスも落ちぶれたな。首相のボリス・ジョンソンやチャールズ皇太子も感染してしまった。有事にもかかわらず、リーダーが倒れるとは情けない。白人国家の凋落を象徴しているよ。

亀井　かつての大英帝国は、世界各地に植民地を有し「太陽の沈まない国」と称された。

石原　その立役者ともいえるのが、キャプテン・クックとヘンリー・モートン・スタンリー。クックは太平洋のほとんどの島々を発見し、王の名のもとに植民地化した。スタンリーはアフリカ大陸を踏破した冒険家だ。

亀井　十六世紀はスペインとポルトガル、十八世紀になるとイギリスとフランスが未開の地をことごとく支配していった。まるで陣取りゲームだよ。

石原　キリスト教圏の白人は有色人種の土地に侵略し、収奪によって繁栄を築いた。アフリカや中東、東南アジアは西欧諸国に国境を区分され、一方的な隷属を強いられてきた。

亀井　日本が明治維新によって近代化を果たすまで、黄色人種は白人にされるがままだった。

石原　新しい技術が古い文明を駆逐したんだ。スペイン人がわずか三丁の鉄砲でインカ帝国をあっという間に滅ぼしたのは、その典型といえる。ヨーロッパは三つの新しい技術——火薬、印刷術、そしてアラブ人から伝授された航海技術によって世界支配を果たした。

亀井　数百年単位で非人道的なことをしてきた欧米が、今になって「人権」を叫んでいるのは実に滑稽だと思わないか。

石原　まったくだ。キリスト教の本山バチカンで、「白人以外の有色人種は人間か動物か」という議論が本気でなされたこともある。ある法王は、「キリスト教に改めたら人間とみなす」と宣言したそうな。

亀井　傲慢なヤツらだ。躊躇（ちゅうちょ）なく広島と長崎に原爆を落としたのも、東京大空襲で一夜にして十万人を殺したのも、根底に差別意識がある。

石原　一種の人体実験だな。日本人をモルモットだと思ってやがる。

亀井　ナチスですら、アメリカが日本にやったようなことはしなかった。

石原　日本は、世界史の流れに逆らって大きな引き金を引いた。敗戦後の日本を統治解体したマッカーサーは退任後、「日本は自衛のために、西欧の列強をマネして軍国化・植民地主義に舵を切らざるを得なかった」と議会で証言している。歴史の流れのもたらした必然を無視して、一方的に日本が悪いと決めつけるのは愚かというほかない。

コロナ禍で危機管理意識が高まった今こそ憲法を捨てよう

亀井　いまだに日本人は、白人に対して妙なコンプレックスを抱えている。真の独立を果たすには、欧米が弱ってる今がチャンスだ。まずは、アメリカに強要された「押しつけ憲法」を捨ててしまおう。

石原　それはあくまで理想論で、現実的じゃないだろう。

亀井　珍しく弱気じゃないか。そもそも、自民党の党是は憲法改正じゃなくて自主憲法制定。にもかかわらず、何もしないままズルズルと今に至る。憲法を破棄するくらいの気持ちじゃないと、改正すらままならないよ。

石原　コロナのおかげで、日本人の危機管理意識が高まっているのは事実だ。

亀井　緊急事態条項の制定を求める声も上がっている。今回のコロナ騒動で明らかになったように、「普通の国」は非常事態宣言を出すと、強制的に店を閉めさせたり、外出禁止を破った者に罰金を科したりすることができる。ところが日本では、緊急事態宣言を発しても「要請」しかできないじゃないか。

石原　国民の大多数は、憲法改正まで気が回らないだろう。今は、どうやって生き延びるかで精いっぱいなんだ。

亀井　だからこそ、政治家が訴えないといけない。アメリカとの戦争に負けて屈辱的な憲法を押しつけられた。今度はコロナとの戦争に勝って、晴れ晴れとした気分でイチから憲法をつくろうじゃないか。

石原　憲法を改正する最も手っ取り早い手段は、北朝鮮にミサイルを撃ち込んでもらうこと。世論は一発で憲法改正に向かうだろう。

亀井　それじゃ結局、他人任せじゃないか。

石原　戦後七十五年、何もしてこなかったツケだよ。

亀井　何と言われようと、私は死ぬまで訴え続けるぞ。為せば成る、為さねば成らぬ何事も、成らぬは人の為さぬなりけり！

「石原賞」はともかく、「亀井賞」は誰も欲しがらないよ

石原　外出自粛で家にいる時間は増えたから、新しい本を読みたい。でも、書店も閉まっているから買いに行けない。

ただでさえ、活字離れが進んで日本人の知的水準は低下しているというのに、いま本を読まなくていつ読むのか。せめて本屋くらいは開けていてほしいね。

亀井　確かに、コロナに感染して人類が絶滅する可能性より、日本の芸術・文化が死に絶えてしまうことを心配した方がいい。

石原　活字文化を盛り上げる策はないか。

亀井　名案がある。石原さんの名を冠した文学賞を創設して、新人作家の登竜門にするんだ。第二の石原慎太郎を発掘できれば、つまらない文壇に一石を投じることができる。

石原　確かに、芥川賞と直木賞はマンネリだし、中間小説、娯楽小説の上手い書き手もいなくなった。「石原賞」という発想は悪くないが、いずれにせよ僕が死んでからだな。

亀井　それまで待てないよ。賞金はすべて私が出すから、今すぐつくるべきだ。文学は精神の躍動を生む。ひいては、社会全体の活力となって経済も良くなる。

石原　いささか短絡的すぎないか。果たして、文学にそれほどの力があるだろうか。

亀井　何を言っている。文学が新しい価値観を示して社会を変える——その典型が『太陽の季節』じゃないか。まあ、石原さんの作品は不良少年を増やして、社会に〝悪影響〟ばかり与えてきたがな（笑）。

石原　バカを言うな（笑）。

そもそも、小説家なんて商売はカネにならない。だから、作家を目指す若者が減っている。

亀井　ドーンと賞金を出してやればいい。そうだな……純文学部門が「石原賞」なら、歴史小説部門は「亀井賞」でどうだ。これで応募が殺到すること間違いナシ！

石原　ずいぶん気が早いな。それに「石原賞」はともかく、「亀井賞」なんて不名誉なもの、誰も欲しがらないよ（笑）。

（『WiLL』二〇二〇年六月号）

第七章

腰抜け政府のせいで尖閣が危ない。今こそ新・青嵐会を結成せよ

拉致被害者は力づくで奪還すべきだ

石原　二〇二〇年六月五日、横田滋さんが亡くなった（享年87）。気の毒でならない。

亀井　一九七七年、当時十三歳だった横田めぐみさんが北朝鮮に拉致された。あれから四十三年、滋さんがどれほど苦悩の日々を過ごしたか。我々に知る由はないが、「お疲れ様でした」と言うほかないね。

石原　近年は体調が芳しくなく、講演会や街頭演説で妻の早紀江さんがマイクを握る姿をよく目にした。亡くなるのが早すぎる。いや、政府の対応が遅すぎるんだ。当初、

北朝鮮をかばって拉致を否定していたメディアや社会党は論外だが、政府側にいながら何もしてこなかった外務省の罪も重い。

亀井　拉致問題解決は、何よりも優先すべき課題だ。にもかかわらず、小泉純一郎政権下で五人の拉致被害者が帰国して以降、何ら進展が見られない。

石原　なぜ、帰国者を五人に絞ってしまったんだろうか。当時、水面下で交渉を進めていたのは外務省アジア大洋州局長だった田中均だが、北朝鮮寄りの言動が目立った。小泉が経済制裁を強めようとすると、なぜか田中がストップをかけていたらしい。

亀井　田中は、せっかく取り返した五人を、また北朝鮮に戻そうとしていた。さすがに、官房副長官だったシンゾーが防いだが。

石原　怒った右翼が、田中の自宅ガレージに爆発物を仕掛けたこともあったな。

亀井　北朝鮮の「ミスターX」と密にやり合っていた田中は、交渉の全貌を明らかにしていない。果たして、今の外務省に北とのパイプは残っているんだろうか。

石原　さあね。金正日から金正恩にリーダーが代わって、みんな粛清された可能性がある。

亀井　ならば、いっそのこと力ずくで拉致被害者を奪還できないかな。

石原　政治家にも官僚にも、そんな根性があるヤツはいないよ。憲法九条さえなければ、「返さなかったら戦争だ」と脅すこともできるんだが。

その場しのぎ外交のツケ

亀井　二〇二〇年五月上旬、尖閣諸島周辺に中国船「海警」がやってきて、領海侵犯を繰り返した挙句、日本漁船を三日間も追い回した。中国外務省の報道官は、「日本の漁船が中国の海で違法操業している」と言い放った。完全にナメられている。

石原　石垣島でダイビングを楽しんだついでに遠出して、何度か尖閣まで行ったことがある。海流に乗って大きな回遊魚がやってくるし、地つきの魚も大型が多い。尖閣は格好の漁場だ。

亀井　機関銃を積んだ中国船に追いかけられて、漁師は怖かっただろうな。その様子は、海上保安庁がビデオに収めているはず。シンゾーは思い切って公開すればいい。

石原　事なかれ主義の外務省が嫌がるだろうな。

亀井　中国に忖度(そんたく)しているようじゃ、民主党政権と同じになってしまうぞ。拉致にしても領土にしても、今になって、その場しのぎ外交のツケが回ってきた。苦しむのは被害者家族や、現場にいる漁業者や海保職員だ。

都知事時代、石原さんは尖閣を買うために寄付金を集めていた。でも、政府が横ヤリを入れて、国が購入することになった。宙ぶらりんになってしまった寄付金は今どうなっているんだ？

石原　十八億、そのまま残っているよ。条例で「国による尖閣諸島の活用に関する取り組みのための資金」と決めて、尖閣以外には使えないようにしておいた。

献金に添えられたいくつかの手紙を思い出すと、今でも胸が熱くなる。東北の貧しい家庭からの手紙には、「私たちはごく貧しい三人家族ですが、一人一万円ずつ献金して、お国のために役に立てればと思いました」と記されていた。

亀井　政治家や官僚に朗読させてやりたい。

理由にならない理由で尖閣灯台設置を邪魔した外務省

石原　尖閣諸島に最初に灯台をつくらせたのは僕だ。青嵐会や企業家の協力を得て、関西にある大学の冒険部の学生たちに頼んで尖閣に上陸させ、ポールに傘と裸電球をつけてバッテリーにつなぐだけの、粗末な灯台らしきものを建てた。尖閣諸島が日本の領土だということを、ささやかな手段でもせめて周りに知らしめたいと思ったんだ。峻険な島の地形のせいで作業は手間取り、食料が不足してきた学生たちを応援するために、飛行機をとばして空から米袋を投下したこともあった。

作業が終わりポールの先の電球に灯が点った夜、強風が島を襲った。灯を頼りに島陰で風待ちしていた漁師がいて、翌朝、学生たちに「灯台のおかげで助かった」と叫んで手を振ってくれたそうな。学生たちは、「あんな感動はありませんでした。改めて国家と民族というものについて感じさせられました」と嬉しそうに報告してくれたよ。

亀井　苦労した甲斐があったわけだ。

石原　その後、同じ志を持った政治団体「日本青年社」が申し出てくれ、尖閣に本格的な灯台を建設してくれた。最初は嫌がっていた沖縄の第十一管区海保も、次第に危機に感じて陰に陽に彼らをサポートしてくれた。

灯台完成の知らせを聞いて、僕は運輸省に連絡し、「正式な灯台として不備な点があるなら指摘してほしい。それらが補塡されたら正式な灯台として海図に記載する手続きを取ってほしい」と申し込んだ。水路部の提案を受けて、日本青年社はさらに手を加え、最終的に正規の灯台として認可してくれた。

しかし、思いがけない横ヤリが入った。外務省が海図への記載に反対してきたんだ。理由を聞けば、「時期尚早」と。

霞が関の権力闘争に付き合う必要はない

亀井　意味がわからない。そこに建っている灯台を、地図に載せるだけのことじゃないか。

石原　中国に気兼ねしたんだ。それ以外、理由なんてない。

亀井　運輸省も情けない。外務省の言うことなんて、聞き流しておけばいいのに。

石原　官僚出身の亀ちゃんなら知っているだろうが、役所ごとに暗黙の〝等級〟がある。格下の運輸省は格上の外務省にタテつくことができない。当時の外務省は、政府を動かすほどの権勢を誇っていた。

亀井　霞が関のくだらない権力闘争に、国民が付き合う必要はないよ。

石原　灯台が海図に記載されていないと、荒天の際に近くを航行する船舶にとって危険極まりない。夜間にレースをやってきたヨット乗りの僕は、身に染みてわかる。でも、外務省の役人にとっては、国民の命より外交で軋轢（あつれき）を生まない方が重要なんだろう。

亀井　あいつら、「国民の命なんて知ったことじゃない」と思ってやがる。

石原　二〇〇三年、息子の伸晃が国土交通大臣に就任した。僕は父親として強く言明し、あの灯台を正式に認可するように申し込んだ。伸晃も発奮してくれて、ようやく海図に記載されるようになった。いま灯台には、「日本国がこれを建設した」と明記した金属のプレートが貼られているという。
　ただ、岩陰に隠れて見えにくい場所じゃなく、誰もが目視できる頂上に灯台を建てなきゃダメだ。
亀井　日本海が、文字通り「日本の海」になっていない。中国と韓国と北朝鮮が日本海で大きな顔をしている。竹島は韓国に実効支配されているが、自衛隊を出して、不法占拠している連中を追い出せばいいんだ。
石原　竹島は要塞化しているから、戦争を覚悟しなきゃダメだぞ。
亀井　望むところだ。領土を守るために戦って何が悪い！

官僚（木っ端役人）が悪用する「官邸の見解」

石原　運輸大臣時代、海上保安庁長官が「年に一度、恒例の竹島視察をしてきます」と言ってきた。何をするのか聞くと、「見てくるだけです。ある距離まで行くと警告の大砲が飛んできて、さらに近づくと間近に次の弾丸が飛来する。だから、その時点で引き返してきます」と。

主務大臣として、わが国の領土の実態を正確に把握し、国民に知らせる義務がある。「オレも同乗させてくれ」と言って、行く手はずになった。ところが突然、臨時閣議が開かれることになって足止めされてしまった。きっと誰かが、私を竹島に近づかせないようにしたんだろう。

亀井　撃沈されてもいいから、乗り込んでほしかったな(笑)。

石原　外務省の腰抜けに呆(あき)れたエピソードはいくらでもある。

これまた運輸大臣時代のある日、海上保安庁の救難部長から耳を疑うような報告を受けた。房総半島の沖合で、関東管区の巡視船が数発の弾丸によって大きな水柱が立ったのを目撃したという。しかも水柱の近くで、何隻か日本の小型漁船が航行していた。

その後、実弾を発射した犯人は東京湾から出てきたアメリカの駆逐艦タワーズ号だったことが判明。彼らは面倒くさがって規定に従わず、保安庁の巡視船をターゲットに見立てて実弾の発射訓練をしていた。

当然、保安庁は米軍の無法に抗議すべく外務省に報告したが、「そんなことは沖縄ではよくあることで、いちいち問題にする必要はない。それが官邸の見解である」と一蹴されたそうな。

亀井　それで、救難部長が石原さんのところに泣きついてきたのか。

石原　ああ。僕は即座に、「〝官邸の見解〟の官邸とは、総理大臣か官房長官のことを意味する。どちらの発言か質してこい。もしそれが竹下登総理なら、私は辞表を出して記者会見を開く。小渕恵三官房長官なら、官邸に赴いて小渕を罵倒し罷免を求める」と言い渡した。

念のため小渕に電話すると、事件について何も知らされていなかった。外務大臣の宇野宗佑は激怒して、配下の木っ端役人を叱りつけた。腰抜けの外務省が、尖閣や竹島、そして拉致問題で政治家をジャマしてきたんだ。

第二の青嵐会を作ろう！

亀井　自民党の有志が結成した「日本の未来を考える勉強会」や「日本の尊厳と国益

を護る会」には、活きのいい若手議員がいるぞ。政府に消費減税を求めたり、習近平の国賓来日の中止を求めたりしている。なかなか面白い連中だ。あいつらを巻き込んで、尖閣を実効支配する団体を立ち上げよう。

石原 面白い。ちょうど、コロナ自粛で退屈していたんだ。つまらない世の中を騒がせようじゃないか。棚ざらしになっている寄付金の十八億円を活動資金に充てることができる。

亀井 石原さんを盟主にして僕が顧問になって、城内実や平沢勝栄みたいな自民党の〝はぐれ者〟を集めるんだ。国民民主党代表の玉木雄一郎も安全保障観はマトモだから、賛同してくれるだろう。

シンゾー一強の今こそ、新しい風を吹かせる必要がある。田中角栄の金権政治を打倒するため、石原さんは青嵐会をつくった。第二の青嵐会をつくろうじゃないか。

石原 青嵐会のメンバーは個性があった。

亀井 中川一郎さん、渡辺美智雄さんに浜田幸一さん……傍(はた)から見て、普通の人間の集まりだとは思っていなかったよ。火つけ強盗、詐欺師、泥棒、ヤクザな連中ばかりだ（笑）。

石原　多士済々と言ってくれ。青嵐会の原点は〝暗黙の約束の履行劇〟ともいえる「忠臣蔵」にある。江戸城の松之廊下で堪忍袋の緒が切れて刃傷に及び、即刻隔離されれ一方的に切腹させられ憤死した主君。その無念に報いるため、大石内蔵助以下四十七人の侍が互いに言葉を交わすことなく胸と胸で計り合った。亡き主君と心の絆で交わした男同士の仇討ちの約束を、身を隠し名前も変え、長年の末に果たし切る。

これほど痛快で胸に響く劇はめったにない。単なる復讐劇じゃなく、男たちが主君との黙約を果たすために肉親を偽り、恋人までも騙し、己の夢も捨てて約束を果たした。元禄のふやけた時代に、誠の矢を放って公儀の額を射抜いた約束の履行は、大きな津波のように当時の人々の心を動かしたんだ。

周恩来曰く「青嵐」は中国語で最も美しい言葉

亀井　ところで「青嵐会」なんてシャレた名前、誰がつけたんだ。

石原　僕だよ。会に名前をつけるに及んで、いろいろ案も出た。でも、「〇〇同志会」とか「自由革命〇〇」とか似たり寄ったりで代わり映えしない。そこで僕が一任されて、いくつか案を提出することになった。

亀井　小説家・石原慎太郎のセンスに託されたわけだ。

石原　翌々日、たった一つ「青嵐会」という案を披露した。案の定、「青嵐というのは何のことだ？」と質問が出た。青嵐とは寒冷前線——夏に激しく夕立を降らせ、世の中を爽やかに変えて過ぎ去る嵐のこと。

説明してやると、渡辺美智雄が「石原君が言った通り教えてやれば、学のある政治家だと思われる。これにしよう！」と。満場一致で即決となった。

後に聞いたが、周恩来は「誰がつけたかは知らぬ、あの『青嵐』という言葉は中国語の中で最も美しい言葉だ」と褒めていたらしい。青嵐会の活動についても、「まだ日本人らしい日本人が残っているものだ」と感心していたそうな。

亀井　自分の国を愛する、という意識は世界共通だからな。

我々も組織に名前をつけないとダメだ。「尖閣を実効支配する会」じゃ芸がないから、

「乱世会（らんせいかい）」ってのはどうだ？

石原　「青嵐会」を逆さにしただけじゃないか（笑）。

亀井　シンゾーもバカじゃないから、じきに身を引くだろう。すると、永田町は戦国時代に突入する。アメリカと中国もバチバチやっているし、日本も世界も「乱世」と呼ぶにふさわしい状況だ。

石原　亀ちゃんのセンスにはついていけないよ。もう少し考えさせてくれ（笑）。

（『Ｗ・ｉＬＬ』二〇二〇年八月号）

第八章

スターリンの後継者・習近平には強気に出るべきだ！

国民運動の狼煙（のろし）

亀井　この前、尖閣諸島を実効支配するための団体を立ち上げよう、ということになった。あの話、どうなったんだ。

石原　日本全体を巻き込む国民運動にしたい。まずは決起趣意書をつくってみた。

亀井　いいね、あとでじっくり添削するよ（笑）。仲間集めは私に任せてくれ。準備が整ったら、世間が注目してくれるタイミングでドーンと発表しようじゃないか。

石原　ツイッターやフェイスブックといった便利なツールがある。まずはＳＮＳで発表し、同時に記者会見を開けば話題になるかもしれない。

亀井　まさか、石原さんの口から「ツイッター」なんて言葉が出てくるとはな（笑）。

石原　先日、久しぶりにツイッターを更新した。「腰抜けの日本政府はこの国を守るためのイージス・アショアの配置をなぜ日本固有の領土の尖閣諸島に行わないのか。あの島々を侵犯しようとしている中国への遠慮だとしたら情けない話だ」と。この投稿には五万以上の「いいね」がついた。

亀井　ＳＮＳには若者が多い。時代が石原慎太郎に追いついてきたってことか。

それにしても習近平はやりたい放題だ。尖閣に中国船が侵入して、日本漁船を追い回したり、三十時間にもわたって領海侵犯を繰り返したりしている。イージス・アショアでも何でも置いて威嚇してやればいい。

石原　ただ、元防衛大臣の森本敏によると、尖閣にイージス・アショアを置いても、東日本に向けてミサイルを撃たれたら対応できないらしい。だから日本政府は、秋田県と山口県に配備しようとしていたんだ。

亀井　でも残念ながら、配備計画は中止になってしまった。迎撃ミサイルを発射したとき、ブースターが切り離される。それが住宅地に落下するのが危険なんだと。

観念が現実に勝るとは情けない

石原　核ミサイルが落っこちたら、街ごと破壊される。それに比べたら、破片が落ちるくらい何のことはない。

亀井　防衛を強化するという「総論」には賛成するけど、どこそこにイージス・アショアを配備するという「各論」になると腰が引ける。物事の全体像が見えていない。国のために自ら犠牲を払いたくないと思っている。昔はそんな情けない国民性じゃなかったハズなんだが……。

石原　原発でもそうだ。いっそのこと、イージス・アショアを都心に、原発を東京湾の埋め立て地に置けばいい。何でもかんでも地方に押しつければいいってモンじゃない。人口が多い東京が厄介を引き受けるべきなんだ。

亀井　イージス・アショア配備計画を断念した政府は、代わりに敵基地攻撃能力の保持を検討するという。北朝鮮がミサイルを撃つ準備を始めたら、ミサイル基地もろともトマホークで破壊するんだ。

石原　敵基地攻撃能力、あるに越したことはない。でも、どうせ野党もマスコミも反対するだろう。自民党からも反対の声が聞こえてきそうだ。

政治家になる前、司馬遼太郎さんと旅行したことがある。司馬さんが何かの折に、「日本人にとっては、観念の方が現実よりも現実的だ」と嘆いていたのを思い出すよ。

亀井　司馬さんの言う通りだ。差し迫る中国の軍事的脅威を前にしても、いまだに憲法九条という理想の観念に縛られて身動きがとれない。

石原　どんなに「平和」という崇高（すうこう）な理念を掲げても、それはあくまで目的であって前提にはなり得ない。

スターリンの後継者・習近平を持ち上げる二階の卑しさ

亀井　香港で国家安全法が施行された。これで「一国二制度」は完全に終わってしまった。香港は共産党政府の支配下に置かれて、民主化運動に対する弾圧も強まるだろう。このままでは、香港がウイグルやチベットのように血で染まってしまう。

石原　今の中国はスターリン時代のソ連に似ている。

亀井　中国やロシアには、国際法なんて通用しない。ロシアで憲法が改正されて、プーチンが二〇三六年まで大統領を続けられるようになった。気になるのは、領土割譲を禁止する規定。北方領土やクリミア半島を絶対に渡さないと宣言したんだ。

石原　中国は南シナ海に人工島をつくって要塞化している。国際仲裁裁判所が違法と判断したが、習近平は判決を「紙クズ」と言い放った。我が国は無法者にどう対峙していくか。

亀井　シンゾーは強気に出るべきだ。海上保安庁の船を尖閣の周りにズラッと並べれば、中国船もそう簡単に手出しできない。

石原　二階俊博が許さないだろう。自民党も政府も、中国べッタリの二階の言いなりになっている。二階が中国からカネをもらっているかどうかは知らないが、何らかの見返りに習近平を国賓来日させようとしているハズだ。卑しいヤツだね。

亀井　シンゾーはお人好しだから、二階のような叩き上げの策士には簡単にやられてしまう。

私がつくった派閥「志帥会（しすいかい）」の会長を、いま務めているのは二階だ。志帥会に忍び込んできた「コソ泥」かと思っていたら、あっという間に〝居抜き〟で家ごと乗っ取ってしまった。とんだ「大泥棒」だったわけだ。アイツは、いまや日本という国を乗っ取ろうとしている。

石原　ただ、自民党内にも少しは骨のある連中がいるようだ。外交部会が、延期されたまま宙ぶらりんになっている習近平の国賓来日を中止するよう政府に求めている。

亀井　外交部会長は中山泰秀。かつて青嵐会にも参加していた中山正暉（まさあき）の息子だ。父親のDNAを引き継いでいるのかもな。

石原　中山は面白い男だったが、晩年は不可解な言動が目立った。

拉致被害者の有本恵子さんの母親・嘉代子さんに電話をかけ、「救う会の運動から手を引けば平壌に連れて行って恵子さんと会わせてやる」と言ったこともある。有本さんの拉致は赤軍派の八尾恵（やおめぐみ）が関与していたが、それをもって「日本人による日本人の拉致であって、北朝鮮とは関係ない」とも言い張っていた。拉致被害者家族への恫喝めいた言動を、僕は新聞のコラムで批判したこともある。

亀井　毀誉褒貶相半ばする、個性的な政治家だったな。息子の泰秀に罪はないから応援してやろうよ。河野太郎も父親を反面教師に立派に育っているじゃないか（笑）。

ユーモアをなくし揚げ足取りばかりする国会議員たち

石原　個性のある政治家といえば、自民党の副総裁を務めた椎名悦三郎は面白かった。外務大臣時代、過去の日韓関係について社会党の議員から「深く反省しているとはどういう意味か」と問われて、「しみじみと反省している、という意味でございます」と答弁していた。

日米安保条約についての見解を問われた際は、「アメリカは日本の番犬であります」と発言。野党議員から「大臣、そんなことを言っていいのか」とたしなめられると、「番犬サマでございます」と〝訂正〟した（笑）。ウィットに富んでいたな。

亀井　今の国会議員は、お互いの揚げ足取りばかりしている。ユーモアで場の空気を和ます余裕すらないんだろう。

石原　民社党の委員長だった春日一幸も面白い政治家だった。春日は自民党と民社党の連立の可能性について質問されて、「極めて重要な質問ゆえに、ここは英語で答弁いたそう。すなわち、イット・ディペンズ・アポン・サーカムスタンス（それは状況次第だ）で、ゴッド・オンリー・ノウズ（神のみぞ知る）だ」と（笑）。

亀井　春日に愛人が三人いると騒がれたとき、「実際には五人いる。武士の情けで許してほしい」と釈明していた（笑）。政治家も豪快だが、それを受け止めるマスコミや世間の懐が広かった。今は政治家や芸能人が不倫しただけで猛バッシングだろう。日本人の心が貧しくなり、不寛容な世の中になってしまった。

石原　政治家のスケールが小さくなったんだよ。選挙前にカネを配ったことがバレて、河井克行・案里夫妻が逮捕されたが、情けない話だ。

亀井　実は二〇一九年の参院選前、案里が私に会いたいと連絡してきた。

石原　広島選挙区だから、地元で絶大な人気を誇る亀ちゃんを取り込んでおきたかったんだろう。

亀井　ところが会ってみたら、「応援してください」とは一言も口にしないんだ。私は同選挙区のライバル・国民民主党の森本真治を応援している。河井から応援を頼まれたら、私も拒否せざるを得ない。彼女もそれをわかっているから、あえて言わないんだ。で、地元に帰ったら「亀井先生に激励いただきました！」と喧伝(けんでん)する。

石原　狡猾(こうかつ)な女だな。

亀井　でも、河井夫妻には同情するよ。永田町には、彼らよりもっとタチの悪い連中がいる。そいつらが何のお咎(とが)めもなく野放しになっているからな。

石原　中国からカネをもらって日本を貶(おとし)めている政治家がいるはずだ。検察は河井夫妻みたいな小物より、大物をとっ捕まえてくれないかな。

亀井　「巨悪は眠らせない」と息巻いていたのは昔の話だ。期待してもムダだよ。

（『Ｗ・ｉＬＬ』二〇二〇年九月号）

第九章

大東亜戦争は有色人種にとって「正義の戦争」だった！

取り残された世代

亀井　セミの声を聞くと、七十五年前を思い出す。終戦時、私は九歳だった。小学校の校庭は全面イモ畑になっていて、夏休みだというのに、児童は朝からイモ畑の手入れに駆り出されていた。

石原　亀ちゃんは広島市から遠くない山村の町で生まれ育った。ということは、原爆投下も目撃したのか。

亀井　ああ。まさに「ピカドン」だったよ。私の小学校は高台にあったが、山並みの向こうから、ピカッと空に鮮烈な光が見えた。少し間をおいてドーンと地響きが鳴って、やがてキノコ雲が立ち上った。

石原 僕の場合、戦争体験といえば大空襲だ。東京や平塚、横浜が空襲されると、燃え上がる炎が逗子の夜空に映って見えた。あの光景は今も脳裏に焼きついている。終戦間際には、米軍による九十九里浜への艦砲射撃の音が聞こえてきた。

亀井 かつての仲間たちの訃報を耳にすることが多くなった。戦争を知る世代が少なくなっていく。

石原 いまや僕らは「取り残された世代」になってしまった。いずれにせよ、敗戦の屈辱と戦後の混乱は得難い経験だった。後にも先にも、あんなドラマチックな時代はない。

亀井 不思議な時代だった。学校に行って一番にすることといえば、天皇陛下の御真影に挨拶。やらないヤツは「非国民」扱い。

「鬼畜米英」という時代の空気

亀井　私のような右も左もわからないような子供ですら、「鬼畜米英」を唱えていた。天皇陛下のため、お国のために死ぬのが当たり前だと思っていたよ。

石原　いま振り返れば残酷な時代だと思うが、良くも悪くも「時代の空気」としか言いようがない。

亀井　ごく一部、「戦争反対」「このままじゃ負ける」と言うヤツもいたが、奇妙な目で見られていた。私も日本の敗戦を知った瞬間、すべてがおしまいだと思ったものだ。小刀を持ち出して、「一緒に死のう」と言って兄貴を追いかけまわしたのを覚えている（笑）。

石原　僕が通っていた一橋大学の校舎のトイレに、戦時中の落書きが残されていた。学徒動員に向かう先輩たちによるもので、「オレは天皇のためには死なない」と。せめてもの抵抗だよ。時代の空気に抗った（あらが）ったヤツもいたんだ。

亀井　石原さんは東京裁判も傍聴しているんだってな。

石原　父親がどこからか傍聴券を手に入れてくれて、近所に住む大学生と一緒に行ったよ。法廷があったのは、大本営陸軍部が置かれた市ヶ谷の陸軍士官学校。傍聴席につながる大理石の階段を上がろうとしていたら、踊り場で進駐軍の憲兵に肩をつかまれて「小僧（キッド）！」と怒鳴られた。

亀井　何か悪いことをしたのか。

石原　僕が履いている下駄の音がうるさかったらしい。仕方なしに下駄を脱ぐと、憲兵はそれを蹴り払った。這（は）いつくばって下駄を拾い、裸足で階段を上ったのを覚えている。

亀井　屈辱的な体験だな。

石原　傍聴席から見下ろすと、被告席にA級戦犯がズラリと並んでいる。東條英機の顔も見えた。英語だから裁判の内容はサッパリわからなかったが、戦勝国が一方的に敗戦国を断罪していることだけは伝わってきた。

亀井　勝てば官軍、負ければ賊軍。戦勝国はやりたい放題だった。広島平和記念公園の慰霊碑には「過ち(あやま)は繰り返しません」と記されているが、反省すべきは米国だ。原爆のことで日本人が謝る筋合いはない。

石原　広島人の亀ちゃんが言うと説得力が違うな。

亀井　戦争が終わってしばらく経っても、広島は原爆を引きずっていた。焼け野原にバラックがたくさん立っていて、川で泳ぐと人の骨が沈んでいる。原爆に焼かれて川に逃げて死んだ人たちの骨だ。街のビルの壁には、人の影が映ったまま残っている。写真と一緒で、原爆の光で焼きつけられたんだ。そういうのがあちこちにあった。

塩味おはぎと甘いチョコレート

石原　中学時代、仲間たちと逗子駅にいたら、横須賀線の下りに米兵が乗っていた。米兵は僕らを見ると、チューインガムやチョコレートをバラ撒いた。それを慌てて拾い集める友人たちの姿が情けなくて、僕は「やめろ！」と叫んだ。

亀井　軍国少年の意地だな（笑）。

石原　電車が去った後、仲間の一人がバツの悪さを感じたのか、僕にチョコレートを半分に割って渡してくれた。でも、みんなを制止した手前、衆目の前では食べられない。人気のない道に入って、こっそり食べたよ（笑）。あの甘いチョコレートの味は今でも忘れない。

僕の又従兄弟が海軍士官で出撃する前、挨拶に来たことがあった。「死ぬ覚悟だな」と感じたが、母親も同じ気持ちだったのか、餞別としておはぎをつくった。戦時中は貧しく砂糖もないから、味つけは塩。チョコレートを食べたとき、戦時中に食べたおはぎを思い出して体中が痺れたよ。心底、日本は負けたんだなと。

亀井　甘いチョコレートと塩味おはぎに、日米の国力の差が表れている。日本は負けるべくして負けたんだ。

石原　敗戦の翌年、米兵が逗子の周りに駐留していた。辻堂・茅ヶ崎海岸は米軍の演習地で、沖にある烏帽子岩を敵艦に見立てて砲撃の訓練をしていたんだ。

八月の暑い夏、学校から家に向かっていると、反対側から米兵がアイスキャンディをしゃぶりながら歩いてくる。買い物をしていた主婦は、みんな怖がって商店街の軒下に身を潜めて恐る恐る眺めていた。米兵は手を振って堂々といった態だ。悔しかった僕は、知らん顔して道の真ん中を歩いた。そうしたら、ムッとした米兵にアイスキャンディで殴られた。

それが評判になって翌朝、電車で登校していると「石原君、大丈夫か？」とおじさんたちに声をかけられた。

亀井　「事件」を起こした石原少年は有名人だったんだな。

石原　僕が米兵に殴られてケガをしたと噂が立っていたらしい。十日後、その噂は学校にも伝わり、教頭に呼び出されて説教を受けた。

亀井　怒られる道理はないはずだ。

石原　まったくだ。「無茶なことをするな。学校に迷惑をかけたらどうするんだ」と言われたから、「あなた方は一年前まで、僕らに立派な海軍士官になってお国のために、天皇陛下のために死ねと言っていたじゃないですか。負けて悔しくないんですか」と言ったら、向こうは黙ってしまった。その後、ある先生が僕に、「石原、戦に敗れるというのはこういうことなんだ。オレだって悔しい。でも、我慢するしかないんだ」

と声をかけてくれた。

亀井　まさに「耐え難きを耐え、忍び難きを忍び」だな。

坂井三郎曰く「有色人種にとっては素晴らしい戦争だった」

石原　自分の身近な先祖である祖父母、あるいは曽祖父母が、どんな苦労を乗り越えて日本という国を仕立ててきたか。そのことを、子供たちがほとんど知らずにいる。そう気づかされたのは、有楽町記者クラブで聴いた坂井三郎さんの講演だった。

亀井　坂井さんは海軍のエースパイロットで、敵機を最も多く撃ち落とした「撃墜王」だ。戦場で片目を失って義眼だったが、幸い戦死せずに生き残る。その武勇は戦場を駆けめぐり、敵味方問わず尊敬を集めた英雄だ。

石原　講演の冒頭、坂井さんの自己紹介を鮮明に覚えている。「私はご覧の通り、あの戦争で片目を失いましたが、そのことであの戦争を一向に後悔していません。思い返してみれば、あれは世界の歴史の中でも素晴らしい戦争でした」

亀井　外国人記者たちはどんな反応だったんだ。

石原　案の定、外国人の記者たちはシーンとしていた。その気配を察した坂井さんは歴戦の強者（つわもの）らしく、にこやかな笑顔で続けた。

「だってそうじゃありませんか。あの戦争のおかげで、私のような顔の黄色いアジア人、そしてもっと色の浅黒いインド人、さらには中東のアラブ系の人たち、そしてさらに顔の真っ黒なアフリカの人たちが、のちに独立戦争を起こして自分たちの国をつくり、それが国連にまで参加するようになって、一国として世界全体の趨勢（すうせい）を決める一票を投じる資格を得たんですから。人間の歴史上、大きな意味を持つ立派な戦争に、自分が参加できたことを誇りに思っています」

亀井　外国人記者たちの、苦虫を嚙み潰したような表情が目に浮かぶよ（笑）。白人は白人の正義しかないと思っている。でも、日本は日本の正義を掲げて戦争していた。日露戦争では、初めて黄色人種が白人国家を破った。どれほどアジアやアフリカの国々を勇気づけたことか。

石原　坂井さんの言葉に感動した僕は、講演が終わった後に挨拶を交わして知遇を得ることができた。しばらくして、坂井さんからショッキングな話を耳にした。

ある日、坂井さんが中央線に乗っていると、大学生二人組が目の前でこんな会話をしていたという。

「お前、知ってるか？　日本はアメリカと戦争をしたんだってよ」

「ウソ、そんなバカな」

「バカじゃない。本当の話だ」

「え、マジか……じゃあ、一体どっちが勝ったんだ？」

坂井さんはいたたまれず次の駅で電車を降り、気持ちを落ち着かせるためにホームの隅でタバコを二本吸ったそうな。

亀井　私がその場に居合わせたら、大学生を怒鳴りつけている（笑）。いや、そんな気力すら湧かないかもな。世代間で歴史の断絶が起きている。

結局のところ、教育に問題があるよ。歴史の授業で、近現代史が疎（おろそ）かにされている。たまに教えても自虐史観だけ。戦争と平和は表裏一体なんだから、戦争を知らなければば平和を語ることもできないはずだ。靖國神社がなぜ存在するか、それすらも知らないんだろうな。

石原　近世から今日に至るまでの世界の歴史は、簡単に言ってしまえば白人が有色人種を支配してきた歴史だ。そんな歴史の流れにおいて、日本民族が有色人種で唯一の近代国家をつくり、白人と同じように国を栄え育てていくために植民地支配にも乗り出さざるを得なかった。

近現代史を、人類史のなかで大きくとらえ直さなければ、若者たちの祖国に対する誇り、愛着は育つはずがない。

李登輝曰く「日本人よ、自信を持て」

亀井　李登輝さんが二〇二〇年七月三十日に亡くなった（享年97）。「私は二十二歳まで日本人だった」と言っていた彼は、日本人以上に日本を愛していた。

石原　大の親日派で、亡くなる直前まで「日本人よ、自信を持て」と我々にエールを送り続けていた。李登輝さんとは一緒にゴルフをしたこともあるが、モノレールと新幹線をめぐるエピソードが印象的だ。

亀井 台北と高雄を結ぶ高速鉄道は、日本の新幹線技術を海外で初めて採用した。

石原 李登輝さんがまだ総統だった頃、「石原さん、日本のモノレールのおかげで酷い目に遭いました」と苦笑いされたことがある。台湾ではモノレールを建設するにあたって、フランス製を使うことにした。ところが、スタートから三年たっても、火事が起こったりして遅々として進まない。そんななか、「国民党がフランスと癒着しているから、技術度外視でくだらないモノレールを導入したんだ」と噂されるようになった。

その矢先、スポーツのアジア大会が広島で開催された。そこで台湾の選手たちが日本のモノレールを初めて体験した。乗り心地が抜群だったのか、彼らは「これをつくるのに何年ぐらいかかったんですか?」と聞いてくる。「半年です」と答えたら、信じられない顔をしていた。

そのことを帰国後、選手たちが台湾で話した。「日本製に比べてフランス製は……」

という声はますます強くなって、国民党のイメージはさらに悪化した。結局、台北市長選で国民党候補が負けてしまったそうな。

亀井　国民党はどうか知らないが、李登輝さんは最初から日本の技術を入れたかったはずだ。

石原　ああ。だから高速鉄道を敷く際は、欧州グループに決まりかけていたのを強引にひっくり返して日本の新幹線システムを導入してくれた。

亀井　台湾新幹線が日本の技術を採用してくれたウラに、石原さんの一言があったわけか。

石原慎太郎曰く「カネと命、どちらか選べ！」

亀井　かつては台湾が日本から学んでいたが、立場が逆転してしまった。新型コロナウイルスを完全に抑え込み、中国共産党政権にも強い態度を示している台湾を、日本は見習わなきゃダメだ。

石原　数年前、靖國神社で九十歳を超える戦争未亡人の歌を聞いた。この方は二十歳前後で結婚して子供をもうけたが、主人は戦死してしまった。彼女が今の日本を眺めてこんな歌を詠んだ。

「かくまでも　醜き国になりたればささげし人の　ただに惜しまる」

僕は強く共感した。国民の多くは我欲に走り、政治家はポピュリズムに走っている。その場しのぎの自己満足や自己暗示に終始しているんだ。

亀井　日本がこれほどまでに弱く情けない国になった原因といえるだろう。その結果、周辺国にナメられきっている。北朝鮮に国民が拉致されても取り戻すことができないし、尖閣に侵入されても「遺憾の意」しか表明できない。

石原　新型コロナウイルスの議論でも、いつになったら経済活動を再開できるとか、旧に復することばかりを考えている。

亀井　石原さんが総理大臣なら、国民にどんなメッセージを伝えるんだ。

石原　一言、「カネと命、どちらか選べ！」と言うだろうな。感染拡大防止をとるか経済をとるか、バランスは非常に難しい。だからこそ、政治家も狼狽（ろうばい）している。

生きるか死ぬかを政府に頼っているようじゃダメだ。かつて明治という奇跡の時代をつくった人たちは、私事（わたくしごと）として国家を考えた。福澤諭吉の言葉に、「立国は私なり、公にあらず」というのがある。国家の運命と自らの目的を重ね合わせることが、青年たちの幸せだったはずだ。

亀井　福澤の言葉は、現代の若者には響かないだろうな。自分さえ儲ければ満足で、「世のため人のため」という発想がない。これだけ外出自粛が叫ばれているのに、新宿や渋谷の繁華街は若者であふれている。

石原　トインビーの『歴史の研究』という本にあるが、いかなる大国も衰亡し滅亡もする。しかし、国が衰弱する要因はいくつもある。一番厄介な大国の衰亡、滅亡につながる要因は何か。自分で自分のことを決められなかった国は速やかに滅びるという例で、国の防衛を傭兵に任せたローマ帝国の滅亡を挙げている。

新型コロナウイルスとの戦争を機に、そのことを政治家はもちろん、国民にも思い直してもらいたい。

今こそ「法華経」を読む

亀井　自分のことは自分で決める――言うは易く、行うは難し。人間はつい他人に頼ってしまいがちだ。

石原　自分なりの哲学を持てばいい。人間はこの世に生まれてくる限り、他の動物とは違って、微妙な心の働きによって焦ったり憎んだり、あるいは愛したり失望したり、迷い悩む。例えばライオンは、外敵に恐れられたりすることはあるが、だからといって悩み続けることはない。

亀井　悩み考えることが、人間が人間である証なのか。

石原　人生において様々な出来事に遭遇し、悩んだり迷ったりする。それでも前に進んでいこうと努力するなかで新たな発見があり、それを突き詰めたものが哲学といえる。

亀井　要するに「己の流儀」みたいなものと考えていいのか。

石原　「野球の哲学」とか「料理の哲学」とか表現されるけど、本物の哲学はアリストテレスが言ったように、存在と時間について考えることだ。事物は時間の経過とともに、形や質を変えていく。

亀井　人間も、時間を経るごとに姿形のみならず考え方も変わってくる。

石原　ああ。人生の選択を前に、自分がいかに進んでいくのか、いかにとどまるべきか、いかに思い切りをつけるかの決断をする。それこそが人生の味わいであり、悩みでもあり、なにより美しさといえる。

亀井　どう生きるか、どう死ぬかという問いの答えを、哲学者や宗教家は探してきたわけだ。

石原　宗教によって哲学の濃淡はある。仏教は、時間の推移が存在の形を変えていくという認識を説いている。「色即是空」「空即是色」は、それを端的に表した言葉だ。

亀井　この世の本質は「空」、つまり「無」ということか。でも仏教は、念仏を唱えれば極楽浄土に行けるという発想だろう。

石原　浄土宗など後世の仏教が極楽浄土を強調したから多くの人が勘違いしているが、

釈迦自身は来世なんてものを説いてはいない。釈迦は二千年以上も昔、人生の方法論、つまり今をどうやって生きるべきかを考えた哲学者だ。そのエッセンスがまとまっているのが「法華経」にほかならない。

亀井　石原さんの『現代語訳――法華経』（幻冬舎）が本屋に並んでいるのを見たぞ。私もあとどれだけ生きられるかわからないが、残りの人生を考えるために読んでみるよ。

石原　ありがとう。また今度、感想を聞かせてくれ。

（『Ｗｉ Ｌ Ｌ』二〇二〇年十月号）

第十章 核兵器のみならず世界一の技術力を活かし独自の新兵器を開発せよ

シンゾーの勇気ある決断

石原　安倍晋三君が辞意を表明して、七年八カ月にわたる長期政権が終わりを迎えた。

亀井　「自らの体調不良で政策に穴を開けてはならない」という辞任理由は、責任感の強いシンゾーらしいな。政治家の出処進退は難しい。地位に恋々とする連中も多いなか、勇気ある決断だったと思う。

石原　安倍政権には憲法改正を期待していたが、果たせなかった。安倍君自身、忸怩(じくじ)たる思いだろうな。一時は森友・加計といった低劣なスキャンダルで国会が紛糾して、国家の最重要議題が稀薄になってしまった。

亀井　シンゾーはよく、「政治家と評論家は違う」「政治家は結果で評価される」と口にしてきた。それだけに、もっと頑張ってほしかった。

　憲法改正はもちろん、尖閣や竹島、北方領土で強い態度を取れたんじゃないか。経済でも、財務省に気兼ねする必要はなかった。国債をバンバン刷って消費税をゼロにしても、支持率は下がらない。むしろ国民は大歓迎してくれたはずだ。

石原　せめて辞任会見で、安倍君の口から国民に向けて強いメッセージを発してほしかった。憲法改正でもいいし、尖閣防衛でもいい。

亀井　今の永田町は、石原さんや私がいた時代とは別物。何か言うとすぐマスコミに揚げ足を取られるから慎重になっているんだろう。

石原　トランプや習近平の顔色を窺わざるを得ないから、好きなことが言えない。

亀井　マスコミは「安倍一強」というが、言葉を間違えている。実際は「安倍一弱」。一人の弱いリーダーを有象無象の与党議員が囲み、それをふがいない野党議員が批判しているだけ。

石原　後任は菅義偉に決まった。
亀井　参謀気質だが、案外、総理大臣のポストに就いて化ける可能性はあるぞ。

男の最高の美徳とは「自己犠牲」

石原　総裁選はいつも同じレベルの顔ぶれだ。聞き飽きた名前じゃなくて、優秀な若手が一線に出てくる体質に変わらない限り、日本は時代の流れに取り残されてしまう。内政にしろ外交にしろ、状況は日々めまぐるしく動いている。
亀井　確かに、政界の新陳代謝を促す必要がある。かつては党内で〝政権交代〟が起きた。異なる派閥が競い合って切磋琢磨（せっさたくま）することで、党全体のレベルが底上げされていたんだ。
石原　中選挙区制から小選挙区制に変わって、派閥の意味合いが希薄化した。
亀井　なにも選択肢は自民党だけじゃない。石破茂も政権批判を繰り返しながら結局、自民党にしがみついているが、思い切って野党と組めばよかったんだ。立憲民主党と国民民主党に「私を首班指名してください」と言えば、菅に一泡吹かせられたかもしれない。

石原 野党議員で顔と名前が一致するのは枝野幸男くらいだ。石破が野党に移れば、選挙の「顔」にはなるだろうな。

亀井 でも、石破に自民党を出る勇気はないだろう。総裁選の討論会で、「自らを戦国武将にたとえると？」という質問があった。石破は「明智光秀や石田三成は悪役に仕立て上げられるが、治めていた地域に行くと本当に慕われている。自分はそうありたい」と答えていたが、最初から反逆者の光秀を目指しているようでは天下は獲れない。シンゾーという信長の跡を継いで、菅は日本のトップにのし上がった。菅は叩き上げの庶民派だし、豊臣秀吉みたいだな。

石原 三島由紀夫さんが割腹自決する直前、対談する機会があった。主題は「男は何のためになら死ねるか」で、副題は「男の最高の美徳とは何か」。話を始める前、三島さんが「それを口にする前にお互いに入れ札しよう」と言い出し、二人して手元の紙に記した。開いてみると、奇しくも二枚とも「自己犠牲」と書かれていた。三島さんは微笑みながら頷き、持参していた真剣を抜いて習いたての居合いを披瀝（ひれき）してくれたものだ。

亀井　「無私」は、日本人ならではの精神。外国人には理解できない。

石原　男女を問わず、人間にとって最高の美徳とは己の生命、あるいはそれに近い代償を払って献身することにほかならない。他人の不幸を喜びあげつらって営利を貪（むさぼ）るメディアが象徴する現代社会にあって、美徳を求めるのは砂浜に落とした針を探すに等しいことかもしれないが……。

外交は騙しあいだから二枚舌、三枚舌が必要だ

亀井　私にとってシンゾーは、弟のような存在だ。清和会に所属していたとき、派閥の領袖・安倍晋太郎さんから薫陶（くんとう）を受けた。晋太郎さんの秘書だったシンゾーとは、その頃からの付き合いになる。

石原　第三章でも述べたけど、晋太郎さんとはいくつか思い出がある。僕が運輸大臣

に就任したのは、イラン・イラク戦争の最中だった。アメリカをはじめとする各国の船が危険に晒されるなか、日本のタンカーだけは「イラン方式」で難を逃れることができた。日本船が集まって船団を組み、イラン側と秘密で決めた番号が書かれた旗を立てる。すると、イランは見逃してくれたんだ。

亀井　イランは親日国として知られているから、日本を優遇してくれたわけだ。

石原　ところが、それに気づいたレーガン政権は、日本に〝船団方式〟を止めるよう圧力をかけてきた。当時、外務大臣だった晋太郎さんはアメリカに従おうとした。僕は中曽根康弘首相のもとを訪ねて、「アメリカの言うことなんかに耳を傾けるな！」と猛抗議したよ。

亀井　たとえ同盟国のアメリカの要請といえど、イランの親切心を裏切るべきではない。

石原　一九五一年、イランは石油国有化を宣言した。すると、「メジャー」と呼ばれる欧米の石油資本が結託してイラン石油の不買を行った。イランが難儀しているときに手を差し伸べたのが日本にほかならない。出光興産が日章丸というタンカーを派遣してイランの民族石油を買い付けてやった。

亀井　それ以来、日本とイランは特別な関係にある。

石原　日章丸は、狭小なマラッカ海峡でメジャーに拿捕（だほ）されるのを警戒した。そこで、わざわざ遠回りしてインドネシアのロンボック海峡をすり抜けて日本まで戻るという離れ業をやってみせたものだ。

亀井　晋太郎さんは楽観的で、見通しが甘いところがあった。「政界のプリンス」と呼ばれ、竹下登さんや宮澤喜一さんと並ぶ〝ニューリーダー〟の一人に数えられて将来を嘱望（しょくぼう）された。中曽根さんが首相を務めた後、次は自分が禅譲（ぜんじょう）されると確信していた。でも結局、後継に指名されたのは竹下さん。晋太郎さんは、政治家にしてはお人好しすぎたんだ。

石原　晋太郎さんに限らず、日本の政治家は外交が苦手。だが、したたかな政治家もいた。安倍君の大叔父にあたる佐藤栄作さんは、「核兵器を持たず、つくらず、持ち込ませず」という非核三原則を掲げてノーベル平和賞を受賞している。しかし、その裏でアメリカに「日本も核兵器を持ちたいから協力してほしい」とお願いしていた。

佐藤さんはドイツにも、「一緒に核兵器を開発しましょう」と持ち掛けている。とんでもない二枚舌だが、これこそが政治だ。

亀井　外交は騙し合いだ。二枚舌でも三枚舌でも、相手を騙すことから始まる。沖縄返還の交渉で密使を務めた若泉敬は、返還と引き換えに「核持ち込み」を認める密約を交わしていた。手元にあるカードを吟味しながら、妥協点を探っていくゲームが外交といえる。

石原　佐藤さんが沖縄返還の交渉でワシントンを訪れたとき、多くの自民党議員が同行したいと声を上げた。そんななか佐藤さんは、なぜか僕と竹下登さんの二人を選んで連れて行ってくれた。ただ、三人一緒にアメリカに渡ったことがバレると面倒だから、僕はソ連を経由して、竹下さんはメキシコを経由してワシントンに向かった。

亀井　それだけ石原さんに期待していたんだろう。

石原　僕の訪米を知った若泉が、「石原さん、佐藤さんにアレンジしてもらってアメリカの核の戦略基地を見てきてください。日本の総理大臣の紹介なら、相当なところまで見せてくれるはずだから」と助言してくれた。

亀井　アメリカの核基地を視察したのか。

石原　ああ。僕は、オマハの戦略空軍司令部（ＳＡＣ）とシェイエンヌ山地の北米航空宇宙防衛指令部（ＮＯＲＡＤ）を訪れた。オマハの司令部では、四十メートルの天井の下にあるコンクリートのミサイル格納庫まで見せてもらったし、ＮＯＲＡＤもずいぶん奥まで立ち入ることができた。

亀井　めったに経験できることではない。

核兵器は三日でつくれる

石原　そのとき、アメリカの警戒システムがまったく日本をカバーしていないことがわかった。司令官に「アメリカの核の抑止力は『傘』になっていないじゃないですか」と尋ねると、「当たり前じゃないか。日本なんて遠過ぎて、とてもじゃないけれど及ばない。危ないと思うなら、なぜ自分たちで核兵器を開発しない？」と。

亀井　ぐうの音も出ない正論だ。

石原　実はその時まで、アメリカの核戦略基地を訪れた日本の国会議員は一人もいなかったらしい。「お前が初めてだ」と言われて驚いたよ。帰国して「アメリカの核の抑止力は日本にとっては存在しない」という内容の論文を書いたら、すぐに核保有論者扱いされてしまった。

亀井　アメリカや中国やロシアに核を独占される筋合いはない。だが、アメリカは日本が核を持つのを嫌がるだろうな。

石原　アメリカには白人としてのアイデンティティが残っていて、有色人種が自前の核を持つことにアレルギー反応を起こしてしまう。そこで、まずはヨーロッパとの共同開発という形でワンクッション置けばいい。ドイツやフランスと組めば、アメリカも認めてくれるだろう。

亀井　日本の技術力をもってすれば、原爆なんて三日でつくれるはずだ。シンゾーは表立って言わなかったけど、本心では核武装を望んでいただろう。「軍事オタク」と揶揄される石破茂も核武装論者だ。軍事や防衛の現実を知れば知るほど、核の必要性を痛感する。

石原　日本は核について何か言うと、「核武装論者」と叩かれる。でも最低限、核保有のシミュレーションはやるべきだと思う。オバマなんて、「核なき世界」と言ってノーベル平和賞をもらったけど、その二カ月後には新しい核兵器のシミュレーションを始めていた。首相が代わって一喜一憂している我が国の領土を、周辺国は虎視眈々（こしたんたん）と狙っている。先手先手で対策を打っておかなければならない。

亀井　具体的に何をすればいいんだ。

石原　独自の新兵器を開発する必要がある。小惑星探査機「はやぶさ」は七年かけて宇宙空間を旅し、遠く離れた惑星の砂を持ち帰った。こんな芸当ができるのは日本だけだ。

亀井　世界一の技術力を生かすも殺すも、政治家の決断次第。

実戦に使われなかった「世界最大の潜水空母」の悲劇

石原　先日、ＮＨＫの「歴史秘話ヒストリア」という番組を見た。日本海軍の秘密兵器ともいえる潜水空母「伊号四百」を扱ったものだ。

亀井　潜水空母というと、潜水艦と空母のハイブリッドか。

石原　伊号には、折りたたみ式の航空機を三つも搭載できた。全長百二十二メートル、水上排水量五千二百トン、水中排水量六千五百トン。大東亜戦争当時、世界最大の潜水艦だ。

亀井　世界最大の戦艦・大和は有名だが、伊号についてはあまり知られていない。

石原　技術的にも目を見張るものがあるが、伊号を用いた戦略が壮大だった。ふつう潜水艦は、偵察や魚雷による攻撃が主な仕事。そんななか、伊号は水上攻撃機を搭載してワシントンやニューヨークに向かい、都市を直接攻撃するという任務が与えられた。

東海岸は、アメリカの政治・経済の中心。経済的ダメージもさることながら、心理的ダメージも期待できる。アメリカ国民の間で厭戦ムードが広がって、早期講和の流れをつくれないかと考えていた。

亀井　山本五十六は日米の国力の差が歴然だと知っていた。短期決戦でアメリカを破って講和を結ぶためにも、東海岸への攻撃が必要だったわけか。

石原　ああ。ところが、潜水空母の完成は時間を要し、東海岸への奇襲計画が遂行されることはなかった。それでもアメリカに一矢報いようと、終戦直前の一九四五年七月に伊号四百は西太平洋のウルシー環礁（現・ミクロネシア連邦）に向けて出撃した。しかし、攻撃予定日の二日前に日本が降伏。一度も実戦を経験することなく日本に帰還することになった。

亀井　伊号四百はどうなったんだ？

石原　水上攻撃機ごとアメリカに接収された。ハワイに持ち帰って米軍が調査することになったが、日本軍の技術に米軍が驚いたらしい。

ところが、ソ連も日本海軍の潜水空母に興味を示した。当時は米ソ冷戦前夜。万が一でもソ連に技術を奪われてはならないとして、アメリカ海軍が演習と称して魚雷で沈めてしまった。

亀井　戦艦や潜水艦、ゼロ戦にしても、世界最先端の技術が使用されていた。知能指数は日本人が世界一だな。

石原　技術力を生かして、少なくとも海と空の防衛に関しては強力な軍事国家に変貌を遂げなければならない。さもなくば、この国は周囲の軽蔑の視線を浴びながら緩慢な亡国への道をたどるだろう。

亀井　ちょうど中国が尖閣で強気の行動に出ている。日本人に国家意識を持たせるチャンスかもしれない。

石原　いくら威勢の良いことを言っていても、いざとなると批判を恐れて及び腰になるのが日本の政治家だ。

亀井　防衛や安全保障を語っただけで「タカ派」扱いされるからな。

石原　「国家」と口にするだけで、ナショナリスト＝危険人物と身構えるような国は日本のほかにない。現実の世界は国家という単位から構成されている。そんな当たり前の現実から、日本人は目を背けている。

亀井　すべてはリーダーの覚悟次第だよ。菅義偉には、シンゾーが叶えられなかった憲法改正を実現してほしい。

（『Ｗ・ｉＬＬ』二〇二〇年十一月号）

第十一章
三島由紀夫に危うく真剣で斬られるところだった

「土の匂い」を忘れるな

亀井　菅義偉政権が、二〇二一年九月十六日に発足した。菅は実家が秋田の百姓だから、庶民の目線に立った政治ができる。

シンゾーや麻生、石破や岸田もだが、自民党には世襲のおぼっちゃまが多い。そんななか、菅からは〝土の匂い〟がする。広島の田舎出身の私と同じだ。

石原　叩き上げの実務家だな。安倍君は愛国心や歴史観といった、観念的なビジョンを打ち出す政治家だった。対照的に、菅は携帯料金の値下げとか、具体的で庶民の生活に直結する実務的な政策を訴えている。

亀井　心配なのは、菅政権の経済ブレーンが竹中平蔵だということ。竹中はかつて、小泉純一郎と組んで新自由主義＝弱肉強食の社会をつくってしまった。

石原　秋田から上京した頃の〝初心忘るべからず〟でいけばいい。

亀井　日本学術会議の新会員が任命拒否されて問題になっている。

石原　すべて内輪だけで決めてしまう〝仲良しサークル〟だろう。美術家や音楽家、作家からなる日本芸術院に似ている。

亀井　石原さんは芸術院に入らなかったのか。

石原　芸術院には、僕のことを嫌いな連中がいたんだ。僕だけじゃなく、江藤淳や大江健三郎、開高健といった〝売れっ子〟も排除された。会員だった吉行淳之介に、「なぜ僕たちを会員にしないのか？」と尋ねると、「あなたは必要とされていない」と。「必要かどうかは読者が決めるんじゃないですか？　僕の本はあなたの本より売れている。つまり読者は僕の本を必要としているんだ」と返して言い合いになった。

亀井　学術会議も芸術院も、公家の集まりみたいなものだ。内閣府や文化庁の下に置かれた公的機関だから、文句を言われる。税金に頼らない民間組織に生まれ変われば、政府も口出しできないし自由に活動できる。双方にとってメリットしかない。

カレーパンが食べられなかった貧乏生活が懐かしい

亀井　菅や私と違って、石原さんから〝土の匂い〟はしない。学生時代に『太陽の季節』が大ヒットして、スター街道を一直線。私とは真逆の人生を送ってきた人間だ。

石原　学生時代は僕も貧乏だったよ。一橋大学の寮に住んでいたが、そこで最後のバンカラをやったからね。

亀井　湘南ボーイが寮生活とは、意外だな。

石原　裕次郎の放蕩(ほうとう)で、カネがなかったんだ。午前九時を過ぎたら、食堂が素うどんの残りを食べさせてくれる。それをみんな争って食べたりしていた。あの頃の貧乏は懐かしいし、ある意味でものすごく豊かな感じがする。

寮で食事は出るけど、食欲旺盛な学生の空腹は満たせない。財布に残った十五円の使い道に悩んだこともある。カレーパンは十三円。あんパンやクリームパンは十円。何も入っていない甘食は五円。本当はカレーパンが食べたいけど、残り二円でパンは買えない。あれこれ金の使い方を考えた結果、あんパンと甘食で腹を満たした。

亀井　なんだか微笑ましいな。酒はどうやって工面していたんだ?

石原　母親がよく、「焼酎は健康に悪いから飲まないように」と言っていた。だから、安い酒を飲んでいたよ。

ある日、居酒屋の店主に「カネがないから今日は合成酒」と言ったら、「それなら焼酎を飲みなよ。合成酒よりうまいぞ」と。恐る恐る飲んでみると、これがうまいんだ。店主は焼酎の梅割りをついでくれたが、コップからあふれて受け皿にこぼれた。「入れすぎですよ」と言ったら、「サービスだよ」って。

亀井　粋だな。日本酒の〝盛りこぼし〟みたいなものか。

石原　それ以降、僕はすっかり焼酎党になってしまった。裕次郎は銀座のクラブで、「兄貴は焼酎なんだよ、焼酎」と言いながら、マティーニとか洒落たカクテルを飲んでいた。小説家になるつもりもなかったのに、コースターの裏に「ブランデーサワー」

なんてメモして、一生懸命カクテルの名前を覚えようとしていたのも懐かしい。

亀井　石原さんにもそんな時代があったとは。

石原　いま振り返れば楽しい日々だった。貧困がなくなって潤沢になりすぎた社会は、若者にとっては気の毒かもしれない。

捜査二課長が誤認で現行犯逮捕された？

石原　亀ちゃんは学生時代、合気道に打ち込んでいたんだろう。街でケンカしたことはあるのか？

亀井　実戦は三回、すべて完全勝利だ。本気を出しすぎて、ブタ箱に入ったこともある。

石原　面白いな。いつの話だ？

亀井　埼玉県警捜査二課長のとき、小料理屋で部下と酒を飲んでいた。すると突然、「キャーッ！」と若い女性の悲鳴が聞こえた。表を見てくるよう部下に命じると、何やら物が倒れる音がした。外に出ると、うずくまる部下の顔から血が噴き出している。女性に絡んでいたのは、角刈り頭の若いチンピラ四人組だった。

石原　いくら亀ちゃんといえど、複数相手じゃ分が悪いだろう。

亀井　ナメてもらっちゃ困る。そのへんのチンピラなんて、私にとって赤子の手をひねるようなものだ。

ところが、厄介なことが起きた。騒ぎを聞きつけたか、それとも誰かが通報したのか、パトカーがサイレンを鳴らしながらやってきたんだ。パトカーから降りた浦和署の警察官は、私に向かって「現行犯で逮捕する」と。事情を説明するヒマもなく、手錠をかけられてしまった。

石原　勘違いするのも無理はない。うずくまるチンピラの前で、亀ちゃんが仁王立ちしているんだから（笑）。

亀井　埼玉に赴任してから間もない時期だったから、警察も私の顔を知らなかったんだろう。命じられるまま、パトカーの後部座席に座らされたよ。ふと窓から外を見ると、顔見知りの毎日新聞の記者が立っている。「埼玉県警捜査二課長が現行犯逮捕」なんて見出しが躍れば、クビになるかもしれない……なんて考えていた。

石原　警察はいつ〝犯人〟の正体が亀ちゃんだとわかったんだ？

亀井　留置所にブチこまれて三十分くらい経ってから、浦和署の当直主任がやってきて、「一課長じゃないですか！」と。事情を説明して、やっと〝釈放〟された。

ゾッとした三島さんの真剣〝寸止め〟体験

石原　亀ちゃんは合気道の段位を持っていたのか？

亀井　六段だよ。そういえば、三島由紀夫さんは剣道五段だったらしい。

石原　ただの〝名誉五段〟だ。著名人が武道団体に体験入門したり、寄付したりすれば、実力がなくても段位が与えられる。三島さんの本当の実力は初段にも満たない、せいぜい二、三級レベルだった。

三島さんの剣の腕前に、肝を冷やした記憶がある。彼とは何度も雑誌で対談したが、あれは一九六九年に行った最後の対談かな。

亀井　自決のちょうど一年前か。

石原　その日は秋口にもかかわらず、三島さんは〝隆々たる肉体〟が透けて見えるメッシュのポロシャツを着て、錦の袋に真剣を入れて持参してきた。それで「今日は居合の稽古帰りだ。ひと汗かいて気持ちよかった」なんて言うんだけど、僕は一瞬でウソだと見抜いた。翌日、三島さんの家に電話して家政婦さんに「昨日、三島さん何時に家を出られました?」と訊いたら、対談の直前の五時ぐらいに出たんだと。

亀井　石原さんに披露するため、真剣を持ってきたのか。

石原　ああ。三島さんに居合を見せてくれるよう頼むと、「君はどうせバカにするから嫌だ」と。でも、真剣を振るう姿を見せたくて仕方がないことは伝わってきた。「真面目に見ますから」と正座して言うと、「それなら見せてやる」と嬉しそうに立ち上がった。隣の部屋に移動して、これは何の型、次は何の型……と唱えながら畳を強く踏みつけて、「これが道場の床だと良い音がするんだ」とか、知った風に言っていたよ。

最後に僕の前にすっと出てきて、真剣を振りかぶった。一気に刀を振り下ろして、僕の頭上で寸止めするつもりだったんだ。ところが、間尺を誤って鴨居を斬りつけてしまう。慌てて食い込んだ刀をひねると、パリンと五センチぐらい刃が欠けてしまった。「これを研ぎに出すと十万ぐらいかかるな」と呟いていた。

三島さんが帰った後、その場にいた編集者が「石原さん、危なかったですね。あんな居合じゃ、寸止めするつもりでも止まらずに斬られていましたよ」と言われた。ゾッとしたね。

亀井　三島さんは政治家になるつもりはなかったのか？

石原　僕は一九六八年の参院選に出馬して当選した。今東光さんも同期だが、僕らと同じ選挙に三島さんも出るつもりでいたらしい。

三島さんの母親と佐藤栄作さんの妻・寛子さんは仲が良かった。お母さんが寛子さんに「息子がつまらん、つまらんって言うから困るのよ。川端康成さんはノーベル賞を取るし、石原は政治家になっちゃうし、もう俺には何も残されていないと言っている」と話していたらしい。

後で調べたら、一期前に全国区で当選していた八田一朗さんに、政治資金がどれくらいかかるか相談していた。

亀井　自民党から出るつもりだったのか？

石原　さあね。結局、僕と今さんに先を越された形になって、その後はオモチャをとられた子どもみたいに拗ねてしまった。その頃から、僕の悪口を言い出すようになった。

亀井　石原さんに嫉妬したんだろう。

石原　三島さんが自決する前年、大岡昇平さんとゴルフをした。大岡さんに「この頃の三島さんは一体どういうことですか」と訊いたら、大岡さんは天を仰いで「あの人は日増しに喜劇的になっていくなァ」と呟いていた。作家仲間は三島さんに、軽蔑にも似た感情を抱いていた。晩年の三島さんについて何も言わなかったのは、小林秀雄と福田恆存だけだった。

三島さんからの公開状「腹を切って死ね」

石原　一九六九年の暮れ、佐藤内閣の官房長官だった保利茂さんに、翌年の施政方針演説のアイデアで知恵を貸してくれと、文化庁の初代長官だった今日出海さん、三島さんと僕の三人が呼ばれたことがあった。重要法案が三つほどあったから、僕は「最初から政府の姿勢をはっきり示して、国民の批判と判断を仰いだほうがいい」と進言した。しかし、保利さんは「国会の議論が白熱化する恐れがありますから」と乗り気じゃなかった。

亀井　議論が白熱して何が悪いんだ。むやみに波風を立てたくない政府の考えもわからんではないが……。

石原　その後、ずっと黙って聞いていた三島さんが「私に二十分ください。口を挟まないでください。私の言うことをそのまま総理に伝えてください」と前置きして、政府による自衛隊を使った〝反クーデター〟計画を滔々（とうとう）と語り出した。どこそこに何師団を配置して、新聞社やテレビ局を戦車で封鎖して、議会は閉鎖。百人ぐらいの有識者を選んで、国家の政策をそこで決める……みたいなことを真面目な顔で話すものだから、みんな唖然としていたよ。保利さんは、「おっしゃる通りですが、なかなかそうはいきませんな」といなしていた。

亀井　三島さんはどこまで本気だったのか。

石原　いま思えば本気だったのかもしれないけど、当時は気づかなかった。三島さんと保利さんが帰った後、今さんが葉巻に火をつけながら「石原君、三島君はどこまで本気なのかね」と尋ねてきた。「あれは次の小説のプロットでしょう」と答えると、今さんは黙って帰っていった。

亀井　三島さんが石原さんに公開状を送ったのは、その後か。

石原　一九七〇年六月、毎日新聞に「士道について――石原慎太郎氏への公開状」が載った。「自民党議員が自民党を批判してどうする」「殿様の悪口を言うなら武士を辞めて腹を切って死ね」というメチャクチャなものだった。

亀井　国会議員は国から給料をもらっていて、自民党からもらっているわけじゃない。石破が政府批判するのと同じだ。

石原　あまりに支離滅裂だから、毎日新聞も困っていたよ。

亀井　「公開状」の後、三島さんと会うことはあったのか。

石原　一度だけ政治について正面から話した。そのとき僕は、「ロシア、中国が核を持っている。日本はアメリカに守られているけれど、核を持つか持たないか決めなければならない」と訴えた。三島さんは「それは俺の専門じゃないからわからん。それは君に任せる」と。

憲法についても訊いてみた。「三島さん、あなたは日本語が好きなんでしょう。憲法前文のデタラメな助詞使いは読むに堪えない。あなたはなぜ、直そうと言わないんですか？」と。三島さんは顔色を変えて黙ってしまった。それ以降、「核の問題は石原に任せて、憲法は俺たちがやろう」と言っていたそうな。

愛憎半ばするけどキラキラした人だった

亀井　その年の十一月、三島事件が起こる。石原さんは何をしていた？

石原　あの日、僕はホテルニューオータニで仕事をしていた。そうしたら、秘書から「大変です」と電話が入って、市ヶ谷の現場に駆けつけた。川端さんは近くで仕事をしていたのか、すでに到着していた。

現場にはバリケードが張られていて、警察が「まだ検証は済んでいませんが、現場をご覧になりますか」と。先に川端さんが現場に入ったと知らされて、僕は断った。いま思えば、現場を見なくてよかった。川端さんは明らかに、胴体から離れた首を見て何かを感じとったんだろう。事件の後、人と話しているときに「あ、三島君が来た」とか言ったりして、明らかにおかしくなった。

亀井　川端さんは三島事件の二年後に自殺した。

石原　三島さんはいつも強がっていたけど、すべては弱い自分を隠すため。ボディビルも剣道も、すべて肉体的コンプレックスから始めたものだ。彼の人生は虚飾に満ちていた。ああいう死に方をしない限り、自分で書いた芝居の幕を下ろせなかったんだろうな。

亀井　いつの間にか虚飾が現実を上回ってしまったわけか。ただ、三島さんは最期まで美学を貫き通した。死にたくて仕方がなかったんだろう。死に場所を探し続けて、ようやく見つけたんだよ。

石原　三島さんの死は日本社会に退屈をもたらした。三島さんは鋭くて、とにかく知的な刺激をもらっていたからな。キラキラした人がいなくなってしまった。

亀井　なんだかんだ言って、やっぱり石原さんは三島さんのことが好きなんだろう。

石原　愛憎相半ばする、といったところか。これで僕まで死んでしまったら、日本はもっと退屈になる（笑）。

亀井　石原さんは百歳を超えても図々しく生き延びるよ。もし死にたくなったら、いつでも言ってくれ。私が介錯してやる（笑）。

（『W・i・L・L』二〇二〇年十二月号）

第十二章

日本国のための軍事研究を拒絶する日本学術会議は「三流学者の互助会」

アメリカ国民の「反エリート」のパワーを見誤るな

亀井　二〇二〇年十一月のアメリカ大統領選でバイデンが勝利宣言したが、トランプは敗北を認めていない。

石原　トランプは、バイデンが不正投票に手を染めたと主張している。

亀井　不正を暴いたところで、結果がひっくり返るのかな。

石原　それにしても、トランプは往生際が良くない。あいつは典型的な〝成り上がり〟だろう。

亀井　豊臣秀吉や菅義偉、そして私も広島の田舎出身の成り上がりだ。石原さんは生粋の湘南ボーイだから〝叩き上げ〟の気持ちが理解できない。

石原　僕もそれなりに苦労してきたんだがな（笑）。

大統領選をめぐるゴタゴタは、アメリカ凋落の象徴といえる。西部開拓時代を引きずっているから、いまだに各州で投票ルールがバラバラ。

亀井　〝民主主義の親玉〟ともいえるアメリカの選挙システムが、これほどテキトーだとは思わなかった。だが、傍（はた）から眺めている分には面白いじゃないか。これは「選挙」という名のケンカだよ。

石原　確かに、何が起こるかわからないから政治は面白い。四年前、誰もトランプがヒラリーに勝つなんて予想していなかった。

亀井　私は最初からトランプが当選すると思っていたぞ。石原さんにも「絶対にトランプが勝つ！」と明言していたよな。

石原　ああ。なぜか亀ちゃんは自信満々だった。

亀井　アメリカ国内における経済格差は途方もなくて、人口の一％が富を独占しているような状態。貧しい九九％が「弱者の味方」を自称するオバマを大統領に押し上げた。つまり、十年以上前からアメリカ社会の分断が始まっていたということ。

そんななか、四年前に登場したのがトランプとバーニー・サンダース。二人のイデオロギーは真逆だが〝反エリート〟という共通点がある。大富豪のトランプは一％側にいる人間だが、既存の秩序や権威をぶち壊すパワーを持っていた。だから当選したんだ。

石原　亀ちゃんの分析には妙な説得力がある。

亀井　フタを開ければ、私の言った通りになった。世論調査より私の野生の勘が正しかったんだ。トランプをバカにしていたマスコミの目は節穴だった。

官邸への忠告

石原　外国人記者クラブで亀ちゃんと会見して、トランプに〝果たし状〟を突きつけたこともあったな。

亀井　二〇一六年五月、大統領選の半年前のことだ。

石原　トランプは当時、「日本は日米安保にタダ乗りしている」「日本製品がアメリカ人の雇用を奪っている」と言っていた。「日本人はシボレーを買わない」とも言っていたけど、あんな質の悪い車は誰も欲しくないよ（笑）。トランプの誤解を晴らすため、二人して反論してやった。

亀井　会見に先立って、石原さんと連名でトランプ事務所に面会を申し入れた。トランプ側から回答がきて、二〇一六年十一月七日の夜に会うことになった。十一月八日が投票日だから、選挙戦の最終日。そんな大事なときに大統領候補が日本人に会って、外交や安全保障について議論するとは異例中の異例。トランプ自身、当選できるとは思っていなかったんじゃないか。

石原　でも結局、トランプとの会談は叶わなかった。

亀井　私は会談予定日の少し前からアメリカに渡っていたが、直前になってトランプ事務所から「激戦だから重点区に入る必要がある」と連絡があった。我々と会談を約束した半年前とは、戦況も変わっていたんだろう。

石原　亀ちゃんがニューヨークに発つ前々日、僕は官房長官だった菅義偉に電話した。

亀井　どんなことを話したんだ？

石原　交渉のアドバイスだよ。「安倍君がトランプに会うことがあっても、決して怯んじゃダメだ。アメリカは日本の技術を必要としているから、強い態度で臨めばいい」と。

日本学術会議は「三流学者の互助会」だ

石原　クリントン政権の終盤、米軍関係者が来日して、デュアルユース・テクノロジーについて調査したことがあった。

亀井　「デュアルユース」って何だ？

石原　軍事にも転用できる民生技術のこと。例えば、米軍の最新鋭戦闘機のコックピットには、急上昇・急下降しても温度差で曇らない日本製の液晶パネルが搭載されている。

亀井　アメリカの軍事力は日本の技術に支えられているわけか。

石原　ボーイング社の旅客機７８７を分解すると、半分ぐらいが日本製の部品だとわかる。ボーイングの社長が「これはメイド・イン・アメリカではなくメイド・イン・ジャパンだ」と言い放ったほど。ソニーのゲーム機「プレイステーション２」のコンピュータが、アメリカの宇宙船に搭載されたコンピュータよりはるかに高性能だったという話もある。日本の民生技術は、ときにアメリカの軍事技術を凌駕（りょうが）するんだ。

亀井　いま話題の日本学術会議は、「軍事研究に加担しない」と声明を出している。だが、軍事技術と民生技術の境目は曖昧（あいまい）だ。軍事研究をすべて禁じていたら、日本は世界に取り残されてしまう。

石原　学術会議は〝三流学者の互助会〟みたいなものだ。菅は任命拒否の理由を明言していないが、これを機にハッキリ言ってやればいい。「税金で運営される組織だから、国策に反対する者を任命する必要はない」と。

亀井　任命拒否された六人をはじめ、大学は左翼の巣窟だ。劇団や文壇もそうだが、学問や芸術の世界は共産党シンパが多い。文学少年だった私が愛読していた椎名麟三や野間宏も、いま思えば左翼だな。

石原　そんな小説を読むヒマがあったら、『太陽の季節』を読んでくれ。

亀井　もちろん読んだぞ。日本中の男子を非行に走らせ、社会の秩序や風紀を乱した問題作だ（笑）。

石原　もっとマトモな論評をしてくれよ（笑）。

亀井　冗談だよ。こう見えて、私は小説家に憧れていた。今でも石原さんを羨ましく思うことがある。

石原　なぜだ？

亀井　石原さんが死んでも、石原さんが残した作品は永遠に生き続ける。政治家はいくら立派な業績を残しても、すぐに忘れ去られてしまうからな。

人種差別の国にノーを突きつけた！

亀井　石原さんの名は世界で轟（とどろ）いている。どちらかというと、作家としてではなく政治家としてだけどな。ソニー創業者・盛田昭夫さんとの共著『「NO」と言える日本』

に、アメリカは衝撃を受けた。

石原　おかげで私は、向こうで「西欧の背広を着た日本の悪魔の化身」なるニックネームを冠せられた（笑）。

亀井　白人に恐れられるとは、名誉なことじゃないか。

石原　本のキャンペーンでアメリカを訪れ、著名な女性キャスターにインタビューを受けたこともある。

亀井　どんな質問をされたんだ？

石原　「あなたはアメリカに人種差別があると主張しているが、何の根拠があってそんなことを言うのか？」と食ってかかってきたから、「私はアメリカに友人がいます。黒人もいるし、ヒスパニックもいるし、アジア人もいる。彼らは口をそろえて『アメリカに人種差別はある』と言っている。それだけの話です」と答えた。スタジオの隅に座っていた黒人の照明係が、私に向かって親指を立ててニカッと笑ったのを覚えている。

亀井　「よくぞ言ってくれた！」と思ったんだろうな。

石原　兄が上院議員、弟が下院議員という二人の議員から、集会に来てくれないかと頼まれたこともあった。場所は自動車産業の拠点デトロイト。

亀井　当時、貿易摩擦がアメリカ議会で取り上げられ、激しいジャパン・バッシングが展開されていた。その〝震源地〟に乗り込むとは、大した度胸だ。

石原　周りが全員、敵に見えたよ。正直に「今の心境は、『真昼の決闘』でゲーリー・クーパーが演じた孤独な保安官の気持ちです」と挨拶すると、観衆は大笑い。和やかな雰囲気になり、集会後はパーティーまで開いてくれた。

亀井　アメリカはいまだにカウボーイの国だ。銃さばきの上手いカウボーイを見ると手を上げる。石原さんは腕の良いガンマンだと思われたんだろうな。

日本叩きの急先鋒ゲッパートの「偏見まみれ」

石原　リチャード・ゲッパート下院議員に面会を申し込まれて、ワシントンの事務所を訪れたこともある。

亀井　ゲッパートは当時、日本叩きの急先鋒だったろう。

石原　部屋に入ってきたゲッパートに「あなたが石原か」と言われたから、「いや、私は日本のゲッパートだ」と言ってやった。すると、彼は笑いながら握手を求めてきた。

亀井　アメリカの反日派と日本の反米派はある意味、似た者同士かもしれないな（笑）。

石原　予定時間を大幅にオーバーして話し込んだが、最後にゲッパートはしげしげと私の顔を眺め直して尋ねた。「あなたは日本の政治家にしては非常に変わっている。反米感情はどこから来るんだ？」と。私は「敵意だよ」と即答した。

親戚が戦死したこと、米軍機の機銃掃射に追い回されて九死に一生を得たこと、それで旧友の一人がケガをしたこと――滔々と思いを語ってやった。

すると彼は、納得したような表情を浮かべていた。戦争に敗れた国の人間が口惜しさを胸に秘めるのは当たり前。それを無理やり隠そうとする人間より、私のようにハッキリと言ってしまう人間の方が信頼できると思ったんだろう。

亀井　石原さんこそ、まさに「NO」と言える日本人だ。

石原　ゲッパートには、終戦直後のエピソードも話してやった。

敗戦の翌年、米兵が逗子の周りに駐留していた。八月の暑い夏、学校から家に向かっていると、反対側から米兵がアイスキャンディをしゃぶりながら歩いてくる。買い物をしていた主婦は、みんな怖がって商店街の軒下に身を潜めて恐る恐る眺めていた。米兵は手を振って堂々といった態。悔しかった僕は、知らん顔して道の真ん中を歩いた。すると、ムッとした米兵にアイスキャンディで殴られた——。

石原　どんな反応だった？

亀井　「その米兵は黒人だろう？」と言われたよ。「いや、間違いなく白人だった」と答えると、ゲッパートは黙ってしまった（笑）。

石原　白人というのは、つくづく差別と偏見にまみれた連中だ。

黙って見ていられない、二階を誘って尖閣へ？

亀井　バイデン政権が誕生しても、トランプが先鞭（せんべん）をつけた「アメリカ・ファースト」の流れは止められない。対して中国も、習近平が独裁を強めながら膨張を続けている。

石原　アメリカと中国、巨大なエゴとエゴが対峙する世界で、日本はこのままでいいのか。ボーッとしているヒマはない。

石原　中国船がずっと尖閣周辺を航行している。海上保安庁の警告を無視して、やりたい放題だ。バイデンはトランプより中国に宥和的ともいわれているから、強気に出ている面もあるだろう。

亀井　大統領選の翌日、中国の全人代は「海警法」の草案を発表した。そこには、国家主権や管轄権が外国に侵害されたとき、「武器の使用を含めたあらゆる必要措置」を取ることができると規定されている。つまり、中国が領有を主張する尖閣で、日本の漁船や海保巡視船が攻撃されるリスクが高くなる。

石原　このまま黙って見ていられない。尖閣に上陸しようじゃないか。

亀井　いいけど、二人でか？

石原　亀ちゃんは国会議員の子分を従えている。彼らを巻き込むんだ。現役の議員が上陸すれば話題性も大きいし、テレビ局や新聞が取り上げざるを得なくなる。

亀井　玉木雄一郎や城内実、安藤裕……与野党ともに愛国心に溢れた若手は多い。でもアイツら、批判を恐れて及び腰になるかもしれない。

石原　政府に迷惑をかけ、自民党から叱られ、マスコミから叩かれるだろう。でも、勇気ある行動を国民は支持してくれるはずだ。苦言を呈すベテラン議員がいれば、そいつを次の選挙で落としてやればいい。日本の領土に日本の政治家が上陸して何が悪い！

亀井　とはいえ、幹事長の二階俊博に睨(にら)まれると自民党内で肩身が狭くなる。あいつは「親中派のドン」だからな。どうせなら、二階も誘ってみようか。

石原　たとえ中国船にマークされても、二階がいればヘタに手出しできない。抑止力くらいにはなる。

辻元清美も誘うか？

石原　亀ちゃんが若手議員を集めてくれたら、僕が一席ぶってやる。都知事時代に尖閣購入のため寄付を募ったが、献金に手紙が添えられていたことがある。その内容を彼らに教えてやれば、きっと尖閣上陸の意思を固めてくれるだろう。

亀井　どんな内容だ？

石原　東北の貧しい家庭からの手紙には、「私たちはごく貧しい三人家族ですが、一人一万円ずつ献金して、お国のために役に立てればと思いました」と記されていた。一人暮らしの貧しい老婆からは、「この献金の宛先はみずほ銀行と指定されていますが、私の村にみずほ銀行はありません。バスに乗って一時間かけて近くの町まで出向いて献金しました」と。

亀井　涙が出そうだ。

石原　これに心が動かないヤツは、愛国者じゃない。

亀井　ある意味、踏み絵になりそうだ。辻元清美なんか誘ったら面白いかもな。

石原　なんで辻元なんだ？

亀井　ピースボートで尖閣まで送迎してくれたら、船のチャーター代が浮く……というのは冗談（笑）。だが、平和を脅かす中国への抗議こそ、「ピースボート」の役割じゃないか。断る理由はどこにもない。

石原　辻元は、行動力だけはあるからな。

亀井　ああ。彼女に初めて会ったのは一九九四年、私が自社さ政権で運輸大臣を務めていたときのこと。生放送を待つテレビ局の楽屋にいきなり入ってきたのが、三十代前半の辻元だった。ピースボート代表だった彼女は、若者を連れて世界中を回り、平和を訴えていた。その活動が話題となり、メディアに露出し始めた頃の話だ。

楽屋に押しかけた辻元は開口一番、「亀井先生、私たちの活動を知ってください！」と。現役の大臣にアポなしで直談判するとは、なかなか度胸のあるヤツだと思ったよ。どうやら客船でトラブルがあって、事情に通じた私に相談したかったらしい。その二年後、彼女と国会で再会するとは夢にも思わなかったが。

石原　一九九六年組ということは、菅義偉と同期か。亀ちゃんは自民党時代、辻元と激しくやりあっていた。

「尖閣奪還連盟」か、「令和青嵐会」か、それとも「山桜の会」か？

亀井　彼女とのエピソードには事欠かないが、自民党政調会長時代にＮＨＫ『日曜討論』で直接対決したときのことを覚えている。番組冒頭、辻元は自身と私を指して「美女と野獣」とジョークをかましました。そして唐突に、「野党は国会であっせん利得処罰法の成立を求めています。ものすごい額の献金を集めていますが、何に使っているんですか？」と。ところで亀井さんも、

石原　失礼なヤツだ。亀ちゃんが汚いカネに手をつけたかのような言い方じゃないか。

亀井　さすがに頭にきて、「オレはあんたみたいな政治家と違うんだよ！」と叱りつけてやった。

石原　やっぱり、僕は辻元という政治家を信用できない。

亀井　どうしてだ？

石原　言行不一致なんだよ。二〇〇九年、ソマリア沖の海賊退治に海上自衛隊が派遣された。辻元が主導してか知らないが、ピースボートがこれに抗議するため現地へ赴いた。ところが、いざ行ってみると海賊が怖くなって、海上保安庁に護衛を依頼したんだ。さすがに自衛隊に保護を求めるのは恥ずかしかったんだろう。

亀井　二〇一六年には、ピースボートが海上自衛隊に護衛を依頼したこともあった。

石原　ふだん自衛隊を貶して（けな）いるのに、自分の身が危険に晒（さら）されると助けを求める。

自己矛盾も甚だしい。

亀井 じゃあ辻元はやめよう。自民党の若手を中心に、十人くらいの国会議員に声をかけておくよ。

石原 ところで、組織の名前はどうする？

亀井 「尖閣奪還連盟」じゃ芸がないし、「令和青嵐会」も二番煎じ。「山桜の会」ってのはどうだ？

石原 すぐ散ってしまいそうだな（笑）。

亀井 いたづらに 散る桜とや 言ひなまし 花の心を 人は知らずて――。水戸浪士・森五六郎の辞世の句だ。意味もなく散りゆく桜と言われるが、花の心など誰も知らない。石原さんは八十八歳、私は八十四歳。最期くらい、日本のために美しく散ろうじゃないか。

石原 それなら「山桜の会」でも悪くない。亀ちゃんにしてはまずますのセンスだ（笑）。

（『W・i・L・L』二〇二一年一月号）

第十三章
盗人猛々しい中共に対峙するために尖閣に行くのに「官邸の許可」が必要だと!?

「官邸と党の許可がいる」と逃げ腰の政治家たち

亀井　中国の王毅外相が二〇二〇年十一月に来日し、外務大臣の茂木敏充と会談した。その後の記者会見で、王毅は「日本の漁船が絶え間なく尖閣周辺を航行している事態が発生している。敏感な水域における事態を複雑化させる行動を日本側は慎むべきだ」と言い放った。

石原　コロナ禍にもかかわらず日本に乗り込んできて、ズケズケと一方的な主張をまくしたてる。盗人猛々しい。

亀井　中国の常套手段だから、さほど驚かないがな。問題は茂木だ。王毅の言いたい放題を、ニヤニヤしながら〝お説拝聴〟しているだけ。石原さんや私が外務大臣なら、その場でガツンと言ってやるのに。茂木の弱腰に、自民党内からも不満が噴出しているようだ。

石原　これ以上、中国に好き勝手はさせない。前章で〝尖閣上陸〟を計画したが、亀ちゃんは子分の国会議員を誘ってみたのか？

亀井　何人か声をかけてみたけど、イマイチ反応が良くない。ある自民党の若手は、「官邸と党の許可を得ないことには……」だとさ（笑）。

刺激のない時代が、こんな若者をつくる

石原　教師と親の顔色をうかがう子供みたいなやつだ。

亀井　少しは骨のある連中だと期待した私が愚かだったよ。威勢よく天下国家を語っていても、所詮は有権者に向けたアピールに過ぎない。いざ行動を起こす段になると、

怖気づいてしまうんだ。

石原　自ら反りみて縮からずんば、褐寛博といえども、吾惴れざらんや。自ら反りみて縮くんば、千万人といえども吾往かむ。

亀井　吉田松陰もよく引用した、孟子が政治の要諦を語った言葉だな。

石原　自らを省みて正しくないとわかっていれば、たとえ相手がとるに足らないものであっても恐れてしまう。自らを省みて正しいと確信しているのであれば、千万の敵であろうと恐れずに立ち向かって行く――そんな気概が感じられない。世論に流され、大衆に迎合し、多数派の意見に巻かれることほど、政治家にとって恥ずべきものはない。

亀井　腰抜けの連中は放っておけばいい。石原さんと私、二人だけでも尖閣に上陸しようじゃないか。

石原　しがらみのない民間人に声をかければ、いくらでも手を挙げるやつがいるはずだ。

亀井　わかった。私は財界を探してみるから、石原さんは芸能・スポーツ界をあたってくれ。

石原　百人規模まで膨れ上がれば、テレビ・新聞といえど扱わざるを得なくなり、我々の運動が日本中に知れ渡る。必ずや、国民は応援してくれるはずだ。

亀井　我々の時代に比べて、政治家のスケールが小さくなった。どいつもこいつも、保身しか考えていない。

石原　無個性で凡庸な議員しかいない自民党は、ペレストロイカ当時のソヴィエト共産党とオーバーラップする。野党は野党で、そんな自民党の汚職追及に終始している。三十代、四十代の若手議員が党派をまたいで連帯すれば強力な塊(かたまり)をつくれるだろうに、そんな発想には至らないんだろうか。

日本が近代化を進めた明治維新の時代、規格外の発想力を備えた若者が雨後の筍(たけのこ)のごとく現れた。しかも彼らは、その発想を成就させるために命がけで走り続けた。

亀井　英雄が時代をつくるのか、それとも時代が英雄をつくるのか……。

石原　政治だけでなく、文学の世界も同じだ。僕は九年前まで芥川賞の選考委員を務めていたが、晩年は身をのけぞらせるような鋭い感性に触れることがほとんどなかった。

亀井　良くも悪くも刺激のない時代だから、若者だけ責めても気の毒だがな。

右（軍隊）も左（革命）も〝ごっこ〟の世界

石原　フランスの哲学者、レイモン・アロンの言葉を思い出す。

亀井　アロンはサルトルの相棒で、「頭の良い人は左翼になれない」という名言も残している。

石原　一九六〇年代、来日したアロンと食事したことがある。ちょうど学園闘争が盛んだった頃で、僕はアロンに日本社会の状況を説明してやった。すると、「彼らには同情します。彼らの青春が青春たる条件を、私たちが奪ってしまったんだから」と呟いていた。

亀井　青春の条件とは何だ？

石原　戦争と貧困、そして偉大な思想だよ。

亀井　自らの存在＝命すら奪われかねない戦争や貧困なくして、生きることへの執着は生まれない。

石原　偉大な思想も失われてしまった。かつてはマルクス主義が偉大とされた。それを信奉する者も、それに反発する者も、必死で勉強して熱い議論を交わしたものだ。

亀井　でも、徐々に共産主義の化けの皮は剝がれていった。それでも若者は、すでに破綻したイデオロギーを必死に正しいと思い込んで、権力との〝疑似戦争〟に打ち込むしかなかったんだ。

江藤淳さんは一九六〇年代を〝ごっこ〟の時代と表現した。「真の経験というものが味わいにくい社会である。どこかに現実から一目盛ずらされているという感覚がひそんでいて、そのもどかしさと、そのための自由さ、身軽さが混在している」と。

石原　そうだよ。一九六〇年の安保騒動は、まさに〝革命ごっこ〟だった。安保改定の折、多くの知識人がとった行動や態度は思慮分別を欠いていた。いや、思考停止と呼んだほうがいい。

亀井　江藤さんが月刊誌『諸君！』に「ごっこの世界が終わったとき」を寄稿したの

が七〇年。その年の暮れ、三島事件が起こる。江藤さんは左翼の学生運動だけでなく、その正反対ともいえる三島由紀夫さんの「楯の会」についても「『ごっこ』のなかでさらに『ごっこ』に憂身をやつしているようなもの」と断じていた。江藤さんにしてみれば、自衛隊すら「軍隊ごっこ」で、楯の会なんざ「『軍隊ごっこ』ごっこ」に見えたんだろうな。

自己同一性の混乱——日米安保はセカンドベスト

亀井　文壇の連中は、六〇年安保をどう眺めていたんだ？

石原　文芸家協会の総会で、その日の協議案件が早々に片づいてしまい、時間を持て余してしまったことがあった。すると、理事長だった丹羽文雄さんが、「世間もいろいろ騒がしいようですから、我々もついでに安保反対の決議をしておきますか」と。あまりにも軽率な提案は、案の定、尾崎士郎さんや林房雄さんに咎(とが)められた。丹羽さんは何も言い返せず恥をかいたわけだが、そんな滑稽譚(こっけいたん)がいくつもある。

亀井　石原さんは当初から安保改定に賛成だったのか？

石原　いや、僕も他人を責められない。自民党の単独議決に反発して、若手作家たちと「若い日本の会」なる組織をつくったが、実は日米安保条約など真面目に読んだことがなかった。仲間でそれを読んでいたのは、江藤くらいだったろう。

亀井　六〇年、私はちょうど東大在学中だったが、政治にはさほど興味を持てなかった。アルバイトの掛け持ちと合気道で、日米安保なんて考えているヒマがなかったんだ。何か熱中できるものがあった私は幸せ者だったということか。

石原　僕が条約本文と改定案に目を通したのは、この問題を各党の代表が論じるテレビ番組を見てからだ。自民党総裁の岸信介、社会党委員長の浅沼稲次郎、民社党の西尾末広の弁を聞いた。浅沼の話は支離滅裂、西尾はどこか腰が引けていて、悪人面の岸に理があった。それ以降、自分自身で判断しなければならないと思ったんだ。結局、安保なるものが日本にとって最善策（セカンドベスト）だとわかったよ。

亀井　国民の大半は日米安保が必要だと、感覚的に理解していたはずだ。だからこそ、自民党に政権を託し続けた。

石原　印象的だったのは、国会正門前の騒ぎを見物した後、官邸横の路地から外堀通りに向かって降りていくと、ウソのように静かだったこと。わずか二、三百メートルの距離に、熱狂と静寂が隣り合っている。それを見て、白けたような気分のなかに何かを悟ったような気がした。国民の大半にとって、日米安保など「どうでもいいもの」でしかなかったんだ。

同時に気づいたのは、左翼にとって安保騒動とは、戦後の歪（いびつ）な日米関係に対して抱く鬱屈（うっくつ）した気分を晴らす絶好の機会だったということ。条文すら目にしたこともないくせに、死に物狂いになったつもりで騒いでいる連中にとっての〝政治的感傷旅行〟にすぎなかった。

亀井　滑稽な〝革命ごっこ〟に興じざるを得なかった原因は、自国の存亡をすべてアメリカに委ねてしまったことにあるんじゃないか。

江藤さんは「なにをやっても『ごっこ』になってしまうのは、結局戦後の日本人の自己同一性が深刻に混乱しているからである。どこまでが『太郎ちゃん』で、どこからが『鬼』であるのかがわからないような状態のなかでわれわれが暮らしている」と述べている。自らの身は自らで守るという当たり前を放棄してしまうと、最終的には「自分が存在している」という当然の意識すら希薄になってくる。これこそ、江藤さんのいう「自己同一性の混乱」なのかもしれない。

想像力を超えたベトナム取材の衝撃

亀井　六〇年代後半といえば、ベトナム反戦運動が盛り上がった時期でもある。

石原　ニューヨーク・タイムズの一面に、日本の〝知識人〟たちが反戦広告を掲載したこともあった。ベトナム特需のおかげで高額の広告費を賄（まかな）うことができたというのは皮肉なものだが（笑）。

亀井　石原さんが政治を志したきっかけもベトナム戦争だろう？

石原　当時、自分自身を表現する方法として、文学だけでは物足りなくなっていた。江藤はこれを「はみ出してしまうもの」と表現していたが、一九六六年の暮れに読売新聞からベトナム戦争の取材依頼が舞い込んできた。振り返れば、大きな人生の転機だったな。

亀井　当時、石原さんは三十四歳。原稿料が日本一高い〝超売れっ子〟が、なんでベトナム戦争なんだ？

石原　他人の戦争を見物してやろうという野次馬根性もあったし、働きすぎでくたびれて温泉にでも行こうかと思っていた。ベトナムは南の国だから冬でも暖かい。取材ついでに近くの海で泳げるだろうと、安易な考えで引き受けてしまったんだ。

亀井　新聞社は石原さんに戦場ルポを書かせようとしたのか？

石原　戦争それ自体じゃなく、「クリスマス停戦（トルース）」の取材が目的だった。

キリストの生誕日を祝うために四十八時間だけ停戦しないかという話が出ていたが、泥沼の様相を呈している戦争で、しかも言い出したのは異教徒のベトコン側。欺瞞（ぎまん）しか感じられなかったね。

ともあれ読売新聞からは、取材の対象はあくまでクリスマス停戦だと釘を刺され、停戦の前後に戦地の最前線に出向くことがないよう念を押されていた。

亀井　石原さんが従うわけないのに（笑）。

石原　まあな。クリスマス・イヴの前日、米軍の輸送用ヘリでサイゴン北西三十キロに位置する基地に飛び立ち、そこから適当な野戦陣地（アウトポスト）に出向くことにした。僕の興味は、停戦期限が切れた翌日から再開される戦争の様相と兵士たちの心境にあったんだ。たとえ取材の対象が停戦に限ったものだとしても、実際の戦闘との対比を描くためには砲火を交えている前線の情報が必要だろう。

亀井　実際の戦場はどうだった？

石原　作家生活で培った想像力なんて遠く及ばない世界だった。

メコン川を隔てた対岸には敵が潜み、あちこちで銃声が聞こえる。私たち四人の従軍記者を運ぶヘリには、機関銃を持った兵士が二人も同乗していた。基地に滞在中、下士官に「拳銃も持たずに出かけるなんて気狂い沙汰だ」と咎められたよ。他国の記者たちはライフルか拳銃を持っていたが、日本の記者はなんの武器も携帯していなかったからな。

亀井　戦地でも日本人の〝平和ボケ〟が炸裂していたんだな。

戦争に対して、インテリも農民も強烈なまでの無関心

石原　ヘリで基地から中学校のサッカーグラウンドに敷設された野砲陣地に向かったが、着陸寸前に思いがけない光景を目にした。鉄条網が張りめぐらされた陣地のすぐ隣で、子供たちがバスケットボールに興じている。ヘリの爆音と銃声などお構いなしに、校庭には平和で楽しい学園風景があったんだ。我々を乗せたヘリは子供たちの頭上をかすめるように舞い降りていったが、誰も振り仰ぎもしない。熱い戦争のなかにある冷めた風景は、奇妙というより理不尽。しかし、それこそがベトナム戦争の本髄だった。

亀井　どういう意味だ?

石原　南ベトナムの大衆が、あまりにも戦争に〝無関心〟なんだよ。

亀井　とはいえ、実際に戦争が行われている。

石原　僕はフランス語が得意だったから、お坊さんや大学教授をはじめ、現地の人々

と話し合いの場を持った。ベトナムは、他のインドシナ三国と違って知的水準が高い。実際、彼らからは知的で深い教養を感じた。

ところが上も下も、つまりインテリも農民も精神的に疲弊しきっていて、もはや自国で行われている戦争にすら関心を持とうとしない。いや、あえて戦争という現実から目を逸らしているように見えた。まるで、無関心で冷笑的であることが、自らを明日につなぐ術だと心得ているかのように。

南ベトナムは近い将来ベトコンに敗北し、共産主義化の運命をたどることになるだろう――強烈なまでの〝無関心〟を目の当たりにして、僕はベトナムの行く末を確信した。

亀井　石原さんの予感は当たった。泥沼の末、アメリカは敗北を喫し、南ベトナムは北ベトナムに取り込まれた。共産主義イデオロギーによって産業と文化は荒廃していった。

太陽の政治家

石原　ベトナムから帰国する飛行機のなかで、ふと日本について思いをめぐらせた。そして、サイゴンで対話したインテリたちの〝無関心〟と、日本で知識人と呼ばれていた人たちの姿勢が酷似していることに気づいたんだ。
　日本は遠からず、共産主義イデオロギーに侵食されてしまうと思った。そんな心配をするぐらいなら、それを防ぐ手だてを自ら生み出さなければならない。そこで、政治への参加を考えるようになった。

亀井　ベトナム取材の二年後、石原さんは自民党から参議院に出馬することになる。

石原　帰国後、僕は知らぬ間に戦場に猖獗（しょうけつ）する肝炎に感染してしまったことがわかった。潜伏期間を置いて発病したが、医者から絶対安静を言いつけられたものだから、ベッドの上で過ごした。週刊誌の連載を書くときだけ起き上がって、背でもたれて膝の上に原稿用紙を置いて執筆していたよ。

亀井　ずっと家だと退屈だったろう。

石原　ああ、悔しかったね。オレの人生はこんな苦労のためにあるんじゃないと。そんななか、三島さんから手紙をもらった。「自分も『潮騒』の取材で無理しすぎて同じ病気にかかったが、君の今の心中は察するに余りある。しかし、これを好機ととらえて達観し、ゆっくり天下を考えたらいい」。これこそ無二の機会だと思って、今まで考えなかったことを考えてみようと自分に言い聞かせることにした。

亀井　石原さんの背中を押したのは三島さんだったのか。

石原　あの手紙が僕を導いてくれた。三島事件からちょうど半世紀だから、あのベトナム取材から半世紀以上が経つのか……。これから日本は、どこに向かっていくんだろうな。

亀井　日本人自身が決めることだ。石原さんが半世紀前に懸念した根本問題を、わが国はまだ解決していない。尖閣に中国の魔の手が及ぼうとしているのに、その現実から目を逸らしているんだから。

石原　あとは若者がどこまで頑張れるか、だな。

亀井　若者に頼ってどうする。石原さんも私も心は若いままだ。

石原　亀ちゃんは若いというより幼いんだよ（笑）。

亀井　少年の心を忘れていない、と言ってくれ。

石原　ともあれ、尖閣上陸計画を一歩でも前に進めよう。日本の若者と永田町の腑抜けた連中にハッパをかけてやろうじゃないか。

（『WiLL』二〇一一年二月号）

第十四章

「平和の祭典」五輪の舞台裏――国際オリンピック委員会は腐敗している

森叩きは〝集団リンチ〟じゃないか

石原　森喜朗が東京五輪組織委の会長を二〇二一年二月に辞任した。「女性は話が長い」という発言が〝女性蔑視〟だとして、メディアは連日のように森をバッシング。世論も「森はケシカラン」という雰囲気になっている。

亀井　ＪＯＣ（日本五輪委員会）の臨時評議会で「失言」があったとされているが、発言の全体をみれば印象が変わってくる。女性のことを「優れている」「競争心が強い」と評価したうえで、「会議が長くなる」と言ったんだ。

にもかかわらず、マスコミは「女性は話が長い」という一部だけを切り取って報じてしまった。

石原　二〇一三年に東京五輪が決まり、翌年に組織委が発足した。森は初代会長として七年にわたり、五輪を成功させようと奔走してきた。

亀井　しかも無報酬だ。二〇一五年には肺ガンで余命宣告までされたが、それでも各国の要人と面会し、四千人のスタッフを抱える組織委をまとめ上げてきた。文字通り、命を削って東京五輪のために働いていた。

石原　森は総理経験者で国際的な人脈も広い。大黒柱を失った組織委は空中分解するだろうな。森の代わりはいないよ。

亀井　テレビはふだん「イジメは絶対ダメ」と言っているが、自分たちが〝集団リンチ〟を煽動している。

石原　スポーツにはフェアネスが求められる。森の発言より、森を叩いている連中のほうが五輪の精神を踏みにじっているよ。

「神の国」で何が悪い！

亀井　石原さんもマスコミによる「切り取り」の被害者だ。

石原　関口宏が司会を務める『サンデーモーニング』（ＴＢＳ系）は酷かった。二〇〇三年、僕は「救う会」の講演で「私は日韓併合を一〇〇％正当化するつもりはない。彼らの感情からすれば、やっぱり忌々しいし、屈辱でもありましょう」と言った。ところが番組内では、「私は日韓併合を一〇〇％正当化するつもりわぁ……」と最後の部分を聞き取りづらくしたうえで、「私は日韓併合を一〇〇％正当化するつもりだ」とテロップを表示しやがった。

亀井　正反対じゃないか。捏造以外の何物でもない。

石原　頭にきて、ＴＢＳを相手に刑事訴訟まで起こした。結局、ＴＢＳは誤報を認めて謝罪にやってきた。

亀井　森は総理時代、「神の国」発言を批判された。マスコミは連日のように「政教分離に反する」「戦前の軍国主義を思い起こさせる」の大合唱。でも、日本は天皇中心の神の国だ。どこが悪い！

石原　日本はアニミズムの国だから、間違ってはいない。「神々の国」と複数にしておけば誤解されなかったとは思うが。

亀井　森喜朗＝失言というイメージが強い。それゆえに、森にはウソかホントかわからないエピソードがたくさんある。「IT革命」を「イット革命」と読んだり、クリントンに「ハウアーユー？」じゃなく「フーアーユー？」と言ったり（笑）。

石原　それは森をバカにするためのデマだよ。

亀井　裏表なく正直な人柄は最高なんだけどな。「座談の名手」と呼ばれるように、あいつの話はいつまでも聞いていられる。

石原　小渕恵三が亡くなったあと森が後任となったが、亀ちゃんも〝赤プリ五人組〟の一人だったな。

亀井　ああ。小渕さんが倒れたのを受けて、赤坂プリンスホテルに森、野中広務、青木幹雄、村上正邦、私の五人が集まって今後を話し合った。村上が「お前が次をやったらどうだ。幹事長なんだから」と森に水を向けると、まんざらでもない顔をするから、私も「やりたいんだろ」と背中を押してやった。マスコミは〝密談政治〟なんて言っていたが、そんな大したものじゃない。

政治家から言葉を奪う検閲機関としてのマスコミ

亀井　言葉尻をとらえて失言だなんだと騒ぐ連中は、言語学者が総理になれば満足するんだろうか。

石原　言葉狩りは言論空間を狭くするだけだ。江藤淳はかつて、占領期におけるGHQの検閲がいかに徹底していて、そのせいで日本の言語空間がいかに閉鎖的になってしまったかを告発していたけど、今はGHQに代わってマスコミが検閲をしている。

亀井　まさに自縄自縛だ。

石原　政治家が「南京大虐殺はでっちあげ」「慰安婦を強制連行した証拠はない」と言ったら「失言」扱いされるのもおかしな話だ。

亀井 ただ、石原さんや私ぐらい突き抜ければ話は別。口を開けば暴言しか出てこないから、マスコミも「また言ってるよ」ぐらいにしか思わなくなる。

石原 〝暴走老人〟の作戦勝ち、といったところか（笑）。

亀井 竹下登さんの答弁は「言語明瞭、意味不明」と言われた。ハキハキと発言するが、文章全体の意味がつかめない。

野党に言質を与えないという利点はあるが、石原さんや私の性には合わない。私たちは「言語明瞭、意味明瞭」。正々堂々と言葉をぶつけあって議論する。文句があるならかかってこい！

石原 マスコミを恐れるあまり、政治家たちは言葉の価値について鈍感で無知になってしまった。政治から言葉を奪ったら、論争もなくなってしまう。残るのはカネと情実にもとづく人間関係だけ。

亀井 野党は自民党の揚げ足取りばかりで、自民党は野党の追及を怖がって官僚みたいな答弁に終始する。退屈な国会になってしまった。

誰なら納得するのか

亀井　森は辞任後、日本サッカー協会会長を務めた川淵三郎を後継指名した。ところが政府は、「国民から反発の声がある」として白紙撤回。人事が難航している。

石原　くだらないね。モタモタしているヒマはないんだから、さっさと決めればいいのに。

亀井　森が八十三歳で、川淵が八十四歳。〝老害〟はダメなんだと。ネット上では、『WiLL』や『日本国紀』（百田尚樹著、幻冬舎）の愛読者で右翼だからケシカランという声もあったそうな。

石原　猪瀬直樹がスキャンダルで都知事を辞任したとき、後任として川淵を口説いたことがある。「家族の看病があるので一年は無理ですが、半年ならできます」と言ってくれたよ。今回も森に頼まれて火中の栗を拾おうとしたんだろう。それなのにバッシングされるとは、川淵が気の毒でならない。

亀井　森はダメ、川淵もダメ……。じゃあ誰なら納得するんだ。

いっそのこと五輪は中止すればいい。かつては種目ごとの世界大会がなくて、五輪の金メダリストがそのまま競技のチャンピオンとして扱われた。ところが、今は世界陸上や世界水泳、ワールドカップが毎年のように開催されている。五輪の存在価値が以前ほど大きいものではなくなっている。

石原 とはいえ来年(二〇二二年二月)、北京で冬季五輪が予定されている。習近平に「我々はコロナに勝利した」と勝ち誇られても癪(しゃく)に触る。

亀井 まあな。習近平独裁下の北京五輪は、ヒトラーが国家宣伝のプロパガンダに利用したベルリン五輪(一九三六年)の二の舞になってしまう。

石原 ただ、ベルリン五輪がショーアップされて盛り上がったことも確かだ。レニ・リーフェンシュタールが監督を務めた『オリンピア』によって、五輪は神格化された。この映画は、ベルリン五輪の開会式や陸上競技を記録した『民族の祭典』と、水泳などの競技をまとめた『美の祭典』の二部構成。『民族の祭典』は、女子リレーを観戦するヒトラーの姿を捉えている。ドイツ人選手がバトンを落としたとき、悔しがってズボンをギュッと握りしめるヒトラーが印象的だ。

「IOCは腐りきっている」

亀井　今回の「森おろし」は、もとをたどれば石原さんに責任がある。石原さんが都知事時代に五輪招致の旗を掲げなければ、森がイジメられることもなかった（笑）。

石原　僕がどれだけ苦労したかも知らないで……。五輪招致というのは卑屈な懇願運動みたいなもので、色々と悔しい思いをしたものだ。

亀井　当初、東京は二〇一六年の招致を目指していた。だが、リオデジャネイロに負けて涙を呑んだ。

石原　ロンドン五輪（二〇一二年）の最高責任者を務めた、セバスチャン・コーというイギリス人がいる。彼はもともと中距離走の選手だが、「IOCは腐りきっているから気をつけろ」と私にアドバイスしてくれた。

二〇〇九年、IOC（国際五輪委員会）総会がコペンハーゲンで開かれ、東京は惜しくもリオデジャネイロに敗れた。その後、コーはわざわざ日本のブースにやってきて、肩をすくめながら同情の言葉をかけてくれた。「誰がみても日本のプレゼンテーションが一番素晴らしかった。でも、五輪なんてこんなものだ」と。

毒を食らわば皿(ワイン？)まで

亀井　五輪招致をめぐるスキャンダルは枚挙に暇がない。ソルトレイクシティ五輪(二〇〇二年)の賄賂は有名だが、裏金のやり取りが常態化しているみたいだな。田中角栄さんの時代ならまだしも、潔癖症の日本人は厳しい戦いを強いられる。

石原　二〇〇一年、芸術文化の発信拠点「トーキョーワンダーサイト」がオープンした。そのとき、接客用に取り寄せたどら焼きの値段が高すぎると物議を醸した。どら焼きごときで騒ぐんだ。

亀井　裏金に頼らずとも、交渉術があればなんとかなる。だが、日本は世界を舞台にした根回しが苦手だ。国連で中国や韓国に歴史問題でやられっぱなしの状況がすべてを表している。

石原　政府のODA（政府開発援助）をうまく振り分ければいいが、そんな芸当は外務省に期待できない。

亀井　長野五輪の招致には、西武グループ会長の堤義明が一枚嚙んだといわれている。

石原　一九八〇年から二十年以上もIOC会長を務めたサマランチはスペインにワイナリーを保有していて、ワインを製造して売る会社を持っていた。その味の良し悪しは定かじゃないが、堤はほとんど買い手のつかないワインを買い上げて支配下のホテルに仕入れさせた。これが長野五輪を招致できた大きな要因だといわれている。

亀井　ワインを買って五輪が開けるなら儲けものだ。

皇室の威光は国際的にも絶大なのに、嫌がらせをする宮内庁

石原　FIFA（国際サッカー連盟）会長を長らく務め、IOC委員でもあったスイス人のゼップ・ブラッターが、東京五輪に賛同する見返りとして「一番位の高い勲章をくれ」「迎賓館で晩餐会を開け」と要求してきた。結局、民主党政権下で旭日大綬章を

ブラッターに与えることになった。

亀井　二〇一〇年、サッカーW杯が南アフリカで開催されたが、その際も百億円を超える規模の賄賂が飛び交っていたという。ＦＩＦＡ会長のブラッターは責任をとって辞任したが、スポーツの国際大会なんて所詮はそんなもの。「健全な精神の育成」なんてスローガンを掲げているけど、その実態は拝金主義と権力闘争にまみれている。

石原　「平和の祭典」を謳う五輪を仕切るＩＯＣなるものは、実質的にヨーロッパの白人が支配している体たらくでしかない。ＩＯＣは勝手に競技のルールを変えて、限られた国の利益を誘導するような横ヤリをたびたび入れてきたものだ。

スキージャンプで日本人がメダルを獲ると、突然スキー板に制限を加えて日本人選手にハンディキャップを負わせた。背が低く俊敏な東洋人が得意とする卓球では、背の高い白人を有利にするために数十センチ高くしようと言い出したこともある。日本のお家芸ともいえる柔道のルールも変更され、軍鶏のケンカのような柔道が横行するハメになった。一時は柔道経験のない人間が審判を務めたこともある。

亀井　ＪＯＣ（日本五輪委員会）前会長の竹田恒和は旧宮家出身で、父親の竹田恒徳さんも委員長を務めていた。IOCの委員も各国の王族や貴族が多く、「王侯貴族の社交場」みたいなイメージがある。私のような〝一般庶民〟には縁のない世界なんだろうな（笑）。

石原 五輪招致のため、欧州各国は王室が積極的に参加する。彼らは色々な催しに花を添えるための協力を惜しまないし、それが当然だと思っている。

亀井 石原さんも皇室に協力をお願いしたのか。

石原 宮内庁に協力を要請しても「皇族関係者の予定は二カ月前に決めるのが原則で、JOCの要請は唐突でルールに反する」と返ってきた。

亀井 国を挙げての招致運動なのに、つれない反応だな。

石原 その後、宮内庁の内情に詳しいジャーナリストから思いがけない話を聞いた。JOC会長・竹田恒和の息子・竹田恒泰にまつわるものだ。

亀井 竹田恒泰といえば女性天皇・女系天皇に反対する、いわゆる「男系論者」としてメディアで発言している。

石原 女性天皇を認めたい宮内庁としては、それが気に食わなかったんだ。その父親が主宰するＪＯＣのイベントに皇族を出席させるわけにはいかない、という裏事情があったそうな。

亀井　宮内庁が握りつぶしたのか。

石原　僕は痺（しび）れを切らして、「役人がこんな大事な問題を決めるんじゃない！」と一喝してやった。

亀井　二〇一三年のＩＯＣ総会でシンゾーや猪瀬が東京五輪の意義を訴え、滝川クリステルの「おもてなし」スピーチも話題になった。でも実は、最初に登壇した高円宮妃久子さまのスピーチが決め手になったんじゃないか。皇族として初めてＩＯＣ総会に出席した久子さまは、東日本大震災の救援活動を行ったＩＯＣへの感謝の言葉を流暢なフランス語と英語で語られた。やっぱり、皇室の威光は絶大なんだよ。

石原　振り返ってみると、コツコツと長い時間をかけて、やっと手にした五輪開催の権利だったな。しかし、コロナで開催は危ぶまれ、森の辞任でさらに難しくなった。

「築城十年、落城一日」とはまさにこのことだ。

（『Ｗ・ｉＬＬ』二〇二一年四月号）

第十五章

六十億光年という距離や時間と比べれば、人間の一生なんて夢幻も同然

立国は私なり

石原　二〇二一年一月発出の緊急事態宣言（一月八日～二月七日までの予定）が二回も延長された。一体全体、コロナ禍はいつ終わるんだ。

亀井　政府分科会の尾身茂は、「コロナがインフルエンザと同じようなものだと人々が認識したとき、コロナは収束する」と言っていた。意識が変わらないと状況も変わらないよ。日本人はウイルスそのものより、コロナ恐怖症に苦しんでいる。

石原　二〇二一年四月中旬から高齢者へのワクチン接種が始まるそうだが、一般に普

及し始めるのは六月くらいだろう。七月に東京五輪を予定通り開催するのは難しいだろうな。

亀井　あと数カ月じゃ、コロナ恐怖症を克服できないよ。柔道やレスリングが典型だけど、スポーツの本質は肌と肌の密着、息のかけ合いにある。

石原　「三密」そのものだ。

亀井　今でこそ「密談政治」という言葉を耳にしなくなったが、政治の基本も「三密」だ。政治家が夜な夜な会食したり、銀座のクラブに行ったりして袋叩きに遭っていた。しかし、人と会って情報収集し、それを政策に反映させるのが政治家の仕事だよ。

石原　菅政権も悪戦苦闘しているな。発足当初は高い支持率をマークしていたが、いまや支持と不支持が拮抗（きっこう）している。

亀井　コロナは利口な〝虫けら〟だから、そう簡単に封じることはできない。しかも、小池百合子をはじめ、クセの強い首長からの突き上げもある。総理大臣といえど、先手先手なんて無理だよ。重症者や死者の数を見ると、むしろ日本はよくやっているほうだ。

石原　そもそも、生きるか死ぬかの状況なのに、政府に頼っているようじゃダメだ。福澤諭吉の言葉に、「立国は私なり、公にあらざるなり」というものがある。かつて明治という奇跡の時代をつくった先人たちは、私事として国家を考えたんだ。

亀井　現代の若者には響かないだろうな。自分さえ良ければ満足で、「世のため人のため」という発想がない。

文明のパラドックス

亀井　人間は、男と女が物理的に接触して子孫を残す。でも、それを否定するのが社会的距離（ソーシャルディスタンス）。コロナは人類存続の危機を招きかねない。

石原　ウイルスから命を守るはずの社会的距離が、種の継続を困難にする――まさにパラドックスだ。

亀井　高度な文明を築いた人類が〝虫けら〟ごときに足もとをすくわれるというのも皮肉じゃないか。

石原　前にも話したが、車椅子の物理学者スティーブン・ホーキングの講演を聴きに行ったことがある。

聴衆の一人が「宇宙全体で、人間のように高度な文明を備えた生物が棲む天体はいくつありますか？」と質問すると、彼は「三百万」と答えた。「であれば、なぜ我々は宇宙人や宇宙船を見たことがないのか？」と尋ねると、「地球並みの文明を持つと自然の循環が狂い、そういう惑星は宇宙時間からすれば一瞬で滅んでしまう」と返ってきた。衝撃を受けた僕は、挙手して「地球時間にして何年ですか？」と質問した。ホーキングの答えは「百年」。

亀井　ホーキングの見立てが正しければ、そろそろ人類は滅亡することになる。原因はコロナか、それとも第三次世界大戦か……。

石原　僕らの孫の孫の世代に、果たして地球は存続しているんだろうか。

亀井　さあな。でも、高度な文明は残っていないかもしれない。アインシュタインは、「第二次大戦では原子爆弾が兵器として利用されたが、第三次大戦ではどんな兵器が使われると思いますか？」という質問に、「第三次大戦についてはわからないが、第四次大戦ならわかる。石と棍棒だ」と答えた。未知の新兵器による破滅的な戦争が起きれば、人類が積み上げてきた文明もまっさらになって、原始時代に逆戻りしてしまうんだ。

石原　人類史をたどれば、新たな技術や発見が人間の存在そのものを規定してきたことがわかる。〝暗黒時代〟の中世は、火薬と印刷術と航海技術によって終焉(しゅうえん)を迎え、そこから近世、近代と続いている。現代において、人間はついに〝神の火〟ともいえる原子力を手に入れ、地球とは別の天体の月にまで足を踏み入れた。それが良かったのか悪かったのか、いずれ歴史が判断するだろう。

亀井　新技術の登場を手放しに喜ぶ者がいる一方で、怯(おび)える者もいる。

石原　吉本隆明は、「原発は人類と文明の進歩の到達点だから、これを捨てると人間は猿に戻る」なんて言っていたな。

　ともあれ、進歩し過ぎた文明が何をもたらすかについて、一度立ち止まって考えたほうがいい。

石原　一途に信じているもの、絶対的な権威があると思い込んでいるものこそ、冷静に見直してみる必要がある。それは科学技術だけでなく、思想やシステムも含まれる。

憲法九条、戦後民主主義、非核三原則、日中友好、新自由主義……数えきれない。

亀井　ノーベル賞も神格化されているな。

中国製のワクチンなんか怖くて打てないよ

石原　平和賞と文学賞は政治性を帯びていて、いいかげんだよ。ノーベル経済学賞を受賞したアメリカ人学者のつくった会社が倒産したという話もある（笑）。

亀井　エチオピア首相は二〇一九年、隣国エリトリアとの国境紛争を解決した功績を称えられてノーベル平和賞を受賞した。でも今、賞を剝奪すべきだという声が強くなっている。国境付近でエチオピア国民がエリトリア軍に虐殺されていたのに、見て見ぬフリしていたそうな。

ミャンマー民主化運動の指導者アウンサン・スー・チーもノーベル平和賞を受賞したが、それにも物言いがついている。いざ民主化を実現したものの、少数民族ロヒンギャの虐殺を放置していたからだ。

石原　国際的にスー・チーが評価を落としたタイミングを見計らってか、ミャンマーでは軍がクーデターで政権を奪った。

亀井　ミャンマーは一九四八年にイギリスから独立して以来、何度もクーデターを経験している。ほんの数年前にやっと民主化したのに、また軍政に逆戻り。いったい何がしたいんだろう。

石原　スー・チーの父親で「建国の父」と称されるアウンサン将軍は、国民から絶大な人気がある。

アウンサンがイギリスから独立できないかと考えていたとき、手を差し伸べたのが日本だ。一九四一年、アウンサンはビルマ青年たちを連れて海南島に渡り、南機関（注）から軍事訓練を施された。その二年後、日本は占領したビルマで独立運動家バー・モウを元首に親日政権をつくった。ビルマは日本と同盟を締結すると同時に連合国への宣戦布告を行ったが、バー・モウは大東亜会議にビルマ代表として参加している。

今でもバー・モウは英雄視されているが、軍事クーデターの背景に、日本と一緒にイギリスから独立を勝ち取った時代に回帰したいという憧れがあったのかもしれない。

亀井　今の世界情勢は、一九三〇年代の雰囲気に似ている。コロナで欧米が打撃を受けるなか、独裁国家の中国がいち早くコロナを克服したと威張っている。中国共産党は、世界恐慌後に勢いを伸ばしたソ連やナチスに重なる部分が多い。つくづく、人間は歴史に学ばない生き物だと痛感する。

石原　中国はワクチン外交を展開している。東京五輪に参加する選手やスタッフにコロナワクチンを提供したいとも言い出した。

亀井　中国製のワクチンなんて怖くて打てないよ（笑）。ＩＯＣのバッハも問題だ。中国の提案を突き返せばいいのに、受け入れてしまったようだからな。

石原　まるでＷＨＯ（世界保健機関）のテドロスみたいだな。ほぼすべての国際機関がチャイナマネーに汚染されていると考えたほうがいい。

情報が人間を乱す

石原　最近は若者と話しても、年代の差を感じさせられてショックを受けることが少なくなった。年上の人間として啓発されることも滅多にない。社会の硬直、衰退を暗示している。

亀井　ここ二十年を振り返ってみると、すさまじい変化の時代だった。その最たるものがＩＴ革命。便利な世の中にはなったが、スマホなどの新しい文明機器に人類が振り回されるようになったのも事実。乗客全員がスマホに視線を注ぐ電車内の風景、街中で歩きながらスマホを操作する光景を見ていると、人間が機械の奴隷になったんじゃないかと錯覚するよ。ホーキングは、「ＡＩの発明は人類史上最大の出来事だった。だが同時に、最後の出来事になってしまう可能性もある」と警鐘を鳴らしていた。

石原　社会心理学に「文化遅滞（カルチュラルラグ）」なる言葉がある。ウィリアム・オグバーンが提唱した概念で、文明が高度になりすぎると、かえって人間の感性が鈍化してしまうというものだ。技術が進歩すると情報が偏り、人間の健全な情操が攪拌（かくはん）されてしまう。

亀井　ＩＴ革命は情報の多様性を生んだが、そのぶん広く浅い知識しか得られなくなった。

石原　わずか百四十字でまとめられたツイッターの投稿は、いわばテレビ番組の合間に流れるコマーシャルみたいなもの。発信者の真意は伝わりようがない。

亀井　大学生が一年間で平均一冊しか読まず、約半数が読書時間ゼロという調査結果もある。

石原　本を読むとしても、紙ではなく電子書籍で済ませてしまう者が多い。場所や時間に制限されないから便利なんだろうが、ゆっくり一人で楽しむ読書とは本質的に異なる。

亀井　読書の本質って何だ。

石原　自分とは違う世界、異なる人生との遭遇にほかならない。ページを行きつ戻りつすることで、著者のメッセージが十分に咀嚼（そしゃく）されて読み手の精神や情操に組みこまれていく。真の読書とは、美味しい食べ物を何度も噛みしめて味わう快感と同じだ。

亀井　私もかつては文学少年で、野間宏や梅崎春生、椎名麟三など「戦後派」を愛読していた。時代としては三島由紀夫や大岡昇平より少し前、戦時体験を描いた左翼的な作品が多い。私は保守でありながら共産党の連中とも仲が良いが、右にも左にもウイングが広いのは、青春時代に読んだ文学の影響が大きい。

石原　青春時代、アンドレ・ジイドの『地の糧』を読み、「ナタナエルよ、君に情熱を教えよう。善悪を判断せずに行動しなくてはならぬ」という一節に衝撃を受けた。その言葉が僕の生き方すら変えてしまったよ。

亀井　新聞やテレビが報じるニュースや、週刊誌やワイドショーが報じるスキャンダルは、その場で消費されて終わり。しかし、小説は作品として永遠に生き続ける。同じ〝情報〟でも、まったく意味合いが異なる。

石原　有名人の不倫や奇妙な犯罪といった話題は、一時的に興味をそそる。しかし、あくまで一過性のものでしかなく、己の人生に何の関わりもない。

亀井　大手メディアが「週刊文春によると……」なんて報じている（笑）。日本人の知的貧困を招いてしまった責任は、商業主義にかまけたマスコミにもある。

石原　獅子文六（ししぶんろく）さんの言葉を思い出す。ある出版社が主催したゴルフ会で同じ組でコースを回っていたとき、彼はこう言った。

「君ら若い作家は気の毒だ。一介の文士風情がこんな一流クラブでゴルフができる時代なんぞ、そう続くものじゃない。そのうち、小説なんぞ流行らなくなって物書きは食えなくなるぞ」

　この予言は的中した。もはや人々が文学に人生の指針を求める時代は終わろうとしている。

亀井　文学が力を失ってしまったのは、読者のせいだけでなく作家や出版社にも責任があるんじゃないか。

石原　僕がかつて選考委員を務めた「芥川賞」の候補作も、年を経るごとに退屈なものが増えていった。すべてとは言わないが、明らかに時流を意識したものばかり。小説とは、常人には到底及ばない発想や感性を備えた芸術家が、自由奔放に己を表するものであるはずなんだが。

亀井　作家も出版社も「売れ線」を狙いたがる。

石原　それは創作活動ではなく、ただのマーケティングだ。読者におもねって書いた小説なんて、文学への冒瀆（ぼうとく）でしかない。本来、文学というのは孤独で独善的であるべきなんだ。

亀井　石原さんは『太陽の季節』で、己の欲望のままに生きる若者たちを描き、文壇のみならず社会全体に倫理、モラルをめぐる論争を巻き起こした。第二の石原慎太郎が出てきてほしいが、期待できないな。

シンゾーが憧れる男・シンタロー

亀井　現代の若者を憂えるのもいいが、自分の心配をしたほうがいい。今年（二〇二一年）、石原さんは八十九歳、私は八十五歳になる。「どう生きるか」じゃなくて「どう死ぬか」を考える年齢だ。

石原　残された人生を思い切って生きるだけだ。

亀井　確かに、年をとっても何が変わるわけじゃないからな。

石原　ハッブル宇宙望遠鏡は、六十億光年も遠くにある銀河の誕生や星の消滅を僕らの目に見える形で送り届けてくれる。六十億光年という距離や時間と比べれば、人間の一生なんて「在る」か「無い」かもわからない夢幻（ゆめまぼろし）も同然。

織田信長が桶狭間の決戦前夜に歌った、幸若舞（こうわかまい）『敦盛（あつもり）』の有名な一節がある。

「人間五十年、下天の内をくらぶれば、夢幻のごとくなり。ひとたび生をうけ、滅せぬもののあるべきか」

だが、実はこれに続く一行が重要なんだ。

「これぞ菩薩(ぼさつ)の種ならむ、これぞ菩薩の種なる」

菩薩というのは、人間が仏の境地に達した姿だと思えばいい。人間の存在について割り切っていた信長は、決して生に執着することはなかった。

亀井　本能寺で明智光秀の軍勢に囲まれた信長は「是非に及ばず」と諦め、寺に火を放って自害した。信長と同じように、我々もその時その時を全力で生きる〝刹那主義〟でいいということか。

石原　好き勝手に生きるのも楽じゃないがな。裕次郎や美空ひばりは五十代、勝新太郎も六十代で亡くなった。人気者は「良い人」であることを強いられるから、ストレスで疲弊してしまう。

ただ幸いにも、亀ちゃんや僕みたいな〝嫌われ者〟は、誰にも気を遣う必要がない。その分、ストレスを溜めずに長生きできる（笑）。

亀井　石原さんくらい自分を貫くことができれば、憧れの対象となる。
　三年ほど前、ビートたけしが司会の番組に首相時代のシンゾーが出演していた。番組内で「嫉妬する人は誰か？」と質問されたシンゾーの答えは「石原慎太郎」。白スーツ姿で颯爽と登庁する石原さんに、女性職員が色めきたって黄色い声援を送る光景を、安倍晋太郎の秘書だったシンゾーは「男が憧れるものをすべて持っている」と、羨ましく眺めていたそうだ。

石原　僕に気を遣っても、安倍君が得るものはないと思うがな。まあ、額面通り受け取ってやろう（笑）。

亀井　きっとシンゾーは本気で石原さんに憧れていたんだ。「永田町にも霞が関にも、時には世論にすら挑戦的な姿勢に憧れる」とも評していた。〝言いたい放題〟も才能なんだよ。

石原　〝やりたい放題〟の亀ちゃんに言われたくないよ（笑）。

（『Ｗ・ｉ・Ｌ・Ｌ』二〇二一年五月号）

第十六章 わが辞世の句――「灯台よ 汝が告げる 言葉は何ぞ 我が情熱は 誤りていしや」

外交の本質は〝二枚舌〟

亀井 日米首脳会談で菅が訪米した（二〇二一年四月十五日〜十八日）。日米同盟や経済、環境問題について話し合ったそうだが、あくまで表向きの話。本題は対中関係、つまり習近平の懲らしめ方を議論していたんだろう。

石原 だといいがな。菅は佐藤栄作の外交を参考にすればいい。

亀井 どういうことだ？

石原 佐藤といえば「持たず、つくらず、持ち込ませず」という非核三原則を掲げてノーベル平和賞を受賞している。しかし、その裏でアメリカに「日本の核保有に協力してほしい」と申し入れていた。

亀井　日本の政治家には珍しい、見事な二枚舌だな。

石原　佐藤さんは西ドイツにも「一緒に核開発しよう」と打診していたから、正確には三枚舌。騙し合いこそ外交の本質にほかならない。

亀井　沖縄返還の交渉で密使を務めた若泉敬は、返還と引き換えに核の持ち込みを認める密約を交わしていたな。

石原　佐藤さんが沖縄返還交渉でワシントンを訪れたとき、多くの自民党議員が同行したいと声を上げた。そんななか、佐藤さんはなぜか僕と竹下登の二人だけを選んでくれた。僕がアメリカの核基地を視察できるようアレンジしてくれたが、佐藤さんは日本を守るために核兵器が必要だと思っていたんだ。

亀井　まったくだ。アメリカや中国やロシアに核を独占される筋合いはない。自民党の国会議員は口にこそ出さないが、多くが核保有を望んでいるだろう。シンゾーも理解しているし、リアリストの菅も当然わかっているはずだ。「軍事オタク」の石破も核武装論者。軍事や防衛の現実を知れば知るほど、核の必要性を痛感する。

石原　しかし残念ながら、非核幻想が現実に勝ってしまうのが日本人だ。司馬遼太郎がよく言っていたよ。「多くの日本人にとって観念や理念は、現実よりも現実的なんだ」と。この奇妙で危険な倒錯を、日本人はいまだ克服できていない。

世界に冠たる技術力

亀井　日本の技術力をもってすれば、原子爆弾なんて三日でつくれるはずだ。

石原　日本人は自分たちの技術力を過小評価している。小惑星探査機「はやぶさ2」は七年かけて宇宙空間を旅し、遠く離れた惑星の砂を持ち帰った。こんな芸当ができる国は日本のほかにない。

亀井　戦前から日本の技術は世界一だった。

石原　その象徴が、航行距離と旋回能力が並外れていたゼロ戦だ。ドイツ自慢のメッサーシュミットですら撃ち落とせなかった米軍のB17を難なく撃墜して、アメリカ人の度肝を抜いた。

亀井　アメリカは世界最大の戦艦「大和」にも驚かされた。ヘタすると、大和は中国やロシアの現役空母より性能が良いんじゃないか。

石原　ゼロ戦や大和に隠れて語られることは少ないが、前述したように、日本海軍の秘密兵器ともいえる潜水空母「伊号四百」も目を見張るものがある。

亀井　潜水空母というと、潜水艦と空母のハイブリッドか。

石原　ああ。伊号には折りたたみ式の航空機を三つも搭載できた。戦後、伊号四百は米軍がハワイに持ち帰って調査することになる。ところが、ソ連も日本海軍の最先端技術に興味を示していた。当時は米ソ冷戦前夜。万が一にでもソ連に技術が奪われてはならないから、米軍は仕方なく演習と称して魚雷で沈めてしまったそうな。

亀井　毎日のように中国船が尖閣にやってくる状況が続いている。日本は空と海の防衛を固めて、一刻も早く強大な軍事国家に変貌を遂げなければならない。

石原　とはいえ、装備だけ整えても意味がない。強いリーダーシップを持った政治家が指揮して初めて、自衛隊は本領を発揮できる。

亀井　自民党の議員はどいつもこいつも頼りない。世界の首都である東京をまとめた石原さんのような有能な指揮官がいなくなった。

曖昧な指示を出すな

石原　亀ちゃんにリーダーの素質はあるのか？

亀井　こう見えて、私はあさま山荘事件を指揮した経験がある。

石原　そういえば、佐々淳行（元内閣安全保障室長）の『連合赤軍「あさま山荘」事件』（文藝春秋）に、亀ちゃんが登場するシーンがある。銃撃戦の最中、一人であさま山荘へ向かおうとする私服の人間がいたから佐々が止めた。それが「亀井警視正」だったと（笑）。

亀井　当時、連合赤軍のやつらが銀行強盗をしたまま逃げ回って行方不明になっていた。連中を全国追跡する総括責任者に命じられたのが、何を隠そうこの私、亀井静香にほかならない。

連合赤軍がアジトにしていた山小屋を発見したという連絡が入ったから、私は東京から現場に飛び、妙義山（みょうぎさん）を駆け上がった。ところが敵のほうが一枚上手。狭い洞穴にビニールシートが張ってあったけど、もぬけのカラだった。メンバー数人は軽井沢駅前で捕えたが、残りはあさま山荘に逃亡し、人質を取って立てこもってしまった。

石原　亀ちゃんが取り逃がさなかったら、あさま山荘事件は起きていなかったのか。

亀井　まあな。だから厳密にいうと、私は「あさま山荘」につながる事件の捜査を担当して、佐々さんが「あさま山荘」の現場で私の〝尻拭い〟をしてくれた格好だ。

石原　なんだよ、亀ちゃんは有能な指揮官じゃなかったのか（笑）。当初の計画では、立てこもった犯人を生け捕りにするつもりだった。だから、十日間も一進一退の攻防が続いてしまったんだ。

亀井　現場にはトラブルがつきものでな。煙突から集音器を入れて内部の状況を探ろうとしたが、失敗に終わった。さらなる誤算は、鉄球を積んだ十トンのクレーン車のエンジンが途中で止まってしまったこと。山荘を完全に破壊してから突入する計画だったけど、完全に破壊できないまま突入を強いられたんだ。

石原　突入後も、すぐには犯人に接近できなかったそうだな。

亀井　銃を乱射する犯人に対して、機動隊が発砲を躊躇(ためら)ったんだ。

石原　平和な日本では、訓練以外で銃を撃つことが滅多にない。だから、いざ命令されても腰が引けてしまう。上からは何と指示されていたんだ？

亀井　ただ一言、「適正に銃を使用しろ」と。

石原　「適正」とは曖昧(あいまい)な表現だな。

亀井　ああいう極限状況では、「目標を発見次第、即座に撃て！」と単純明快な命令を出すべきなんだ。案の定、布団をかぶってドンドン撃ってくる相手に応戦するため、「拳銃を使用しろ」に指示を変えると、あっという間に制圧できたよ。

　妙義山には、蜂の巣になった空き缶が木からぶら下がっていた。連合赤軍の連中はやることがないから、射撃の訓練ばっかりやっていたんだ。どうりで、並の警官より銃さばきが上達するわけだ（笑）。

短刀のような男

亀井　話が逸れたが、佐藤栄作のほかに菅が見習うべき人物はいるだろうか。

石原　今でこそ知る人も少なくなったが、賀屋興宣さんは立派な政治家だった。

亀井　賀屋さんは大蔵省の官僚出身で、近衛文麿内閣と東条英機内閣の大蔵相として戦時経済を取り仕切った。戦後はA級戦犯として十年も服役したが、赦免後に衆議院議員として国政に復帰。岸信介内閣の経済ブレーン、池田勇人内閣の法務相も務めた人物だ。ちなみに私と同郷、広島出身だ。

石原　政界から引退した吉田茂が愛弟子の佐藤栄作に宛てた手紙に、「この件については賀屋興宣翁に相談されてしかるべき」という一節があった。戦前・戦中は軍部に憎まれ迫害を受けた吉田が、つい最近まで戦争犯罪人として巣鴨プリズンに収監されていた賀屋さんのことを「翁」と呼んで推薦するとはな。

亀井　いかに有能な人物だったかがわかる。

石原　大蔵省の高官や大蔵省出身の政治家たちに、賀屋さんは誰よりも尊敬され慕われていた。彼を囲む「賀屋会」のメンバーは福田赳夫や大平正芳をはじめ錚々（そうそう）たるもので、私も一度だけ招待されたことがある。

亀井　賀屋さんは外交タカ派で、ＣＩＡや蔣介石にも通じていた。しかも、戦没者遺族の互助会だった「日本遺族厚生連盟」を「日本遺族会」に改称したのも賀屋さんだ。右翼のイメージが強いけど、実際はどうだったんだ？

石原　彼ほど左翼だけでなく右翼からも嫌われた政治家はいない。賀屋さんは研ぎ澄まされた短刀のような人で、議論していて少しでも筋の通らないことを相手が言えば、徹底的に論破したからだ。

岸信介、椎名悦三郎もそうだが、あの時代はかつて大官僚と呼ばれながら政界入りして大政治家となった人物が多かった。彼らを大物たらしめたのは、軍部の存在が大きい。非合理な要求を押し付けてくる軍部と渡り合うためには、徹底的な理論武装と何事にも物怖じしない胆力が必要だからな。

山本五十六と殴り合い

亀井　大蔵省時代、賀屋さんはロンドン軍縮会議にも日本代表の一人として出席している。

石原　軍縮賛成派だったために、次席随員として参加していた軍縮反対派の山本五十六と鼻血を出す殴り合いを演じたこともある。

亀井　〝イケイケドンドン〟の軍部とは真っ向から対立していたんだな。

石原　ああ。だが他方で、政府には頼りにされていた。幣原喜重郎は軍に対抗するため、まだ一課長の賀屋さんにアドバイスを求めていたという。さらなる軍備増強を進めれば、財政破綻と破滅的な戦争を招いてしまう——そんな問題意識を共有していた高橋是清を後ろ盾に、予算編成のテクニックを駆使して軍部を相手に戦い続けたんだ。

亀井　結局、二・二六事件で高橋是清は青年将校の怨みを買って暗殺された。

石原　賀屋さんは後年、自分の建言のせいで高橋が殺されてしまったと、心中暗然たる思いだったと話していた。

膨大な予算を要求する軍部が力を強めるなか、賀屋さんは日本経済を維持するために統制経済を提案した。それが支那事変から終戦までの経済を支えることになったんだ。それゆえに敗戦後、文官でありながらA級戦犯になってしまったがな。東京裁判の首席検事キーナンは後に、「賀屋を起訴したのは間違いだった」と述懐していたという。

賀屋さんは収監された巣鴨プリズンから大蔵省に指示を飛ばし、戦後復興の予算づくりに加わっていた。卓越した能力と厚い人望なしに、そんなことはできっこない。

亀井　石原さんは賀屋さんと親交が深く、対談本『新旧の対決か調和か』（経済往来社。一九六九年）も出している。

石原　参院議員として駆け出しの僕が、あの老獪（ろうかい）な政治家とどう渡り合ったか、いま思えば汗顔の至りだ。しかし、それが縁で足しげく賀屋さんの事務所に出入りするようになったよ。

賀屋さんから、「一度あなたのヨットに乗せてもらえませんか」と頼まれたことがある。油壺のホームポートに招待して一緒に相模湾を遊弋したが、「ちょっと操縦させてもらえませんか」と。舵を預けると、考え深げにハンドルを握って船を操ってみせた。しばらくして交代したら、「舵の輪というのは敏感なものですな。色々と大きさの違う歯車があるんでしょうね」と、内部のメカニズムを見事に言い当てた。

亀井　すべてお見通しってわけか。さすがの洞察力だ。

これぞ文芸の力

石原　賀屋さんと二人でお茶を飲んでいたら、昔話のはずみに胸にしまってあった思い出話を聞かされたこともある。広島の小学校で、美人で頭がいい同級生に恋愛感情を抱いたが、とても告白などできなかったそうな。その後、賀屋さんは上京して第一高等学校から東大を経て大蔵省に入り出世を遂げていく。

ある日、第一高等学校時代の友人から、かつて寮に在籍していた外国語教師の奥さんが美人で評判だという話を聞いた。夫婦の写真を見ると、その奥さんは小学校時代に見初めた相手。その後、賀屋さんは送られてくる官報で、彼女の夫が他県の高校に転勤したこと、さらに彼が病気で亡くなったことを知った。

やがて小学校の同窓会で再会した彼女に、官報で知っていた夫の訃報について悔やみを述べた。すると、衝撃の事実が明らかになった。実は彼女も夫に送られてくる官報で、同窓の出世頭だった賀屋さんの目覚ましい活躍を知り、胸をときめかせていたんだと。

亀井 相思相愛だったわけか。

石原 夫を亡くした苦労もあったが、幸い一人娘が検事と結婚できて生活もなんとか安定し、心置きなく暮らせているとも告げられた。そして公人ならではの奇跡が続いて起こる。

賀屋さんは池田内閣で法務相を務めるが、その折ある件を報告しにきた担当検事が彼女の娘の夫だった。検事は、「家内の母が大臣と同郷、かつ小学校の同窓と聞かされています。くれぐれもよろしくとのことでした」と。「お母さんは達者か」と質すと、「実はこのところ身体を壊して入院しております。当人はまだ知りませんが、医者はガンだと言っています」と返ってきた。
絶句した賀屋さんは後日、検事に連絡して病院に向かった。迎えた娘が気を利かして病室から離れた後、二人は間近に見つめ合い、手を握って言葉なく深くうなずき合ったという。それから間もなく、検事から彼女の訃報を知らされた。高名な老人が葬儀に突然やってきて、出棺まで一人黙って見守る光景に、親戚縁者は奇異の目を向けたそうな。

亀井　青春から続く老いらくの恋か。いい話だな。

石原　誰も知らない賀屋さんの秘話に感動した僕は、『公人』という題名で短篇にまとめて発表したが、乾いたロマンチシズムに満ちた傑作と自認している。モデルを知らない多くの読者からも好評だったが、賀屋さん本人も涙を浮かべて喜んでくれた。「あなたの作品を読んで救われた思いでした。あれこそ文芸の力というのでしょうか。私の人生に花を添えてくれて感謝します」と。

亀井　作家冥利（みょうり）に尽きるな。

石原　ああ。だが、これには後日談がある。僕の短篇に触発されて、賀屋さんは小説を書き始めた。試しに読んでくれないかと原稿を渡されたが、これが箸にも棒にも掛からないド素人の文章なんだ（笑）。

亀井　さすがの賀屋さんといえど、神様に文才までは与えられなかったか（笑）。

長いトンネルを歩く

亀井　そんな賀屋さんにも奥さんはいたんだろう。どんな人だったんだ？

石原　大蔵官僚となり人柄、能力からして誰からも将来を嘱託されていた彼には、当然あちこちから縁談の持ちかけがあった。しかし彼はすべて断り、若い頃に患った結核の療養で滞在した宿の娘さんと結婚した。奥さんの通夜では寝ずの番で朝まで遺体を手でさすり、葬儀のために納棺するとき遺体はまだ暖かかったそうな。

亀井　奥さんに先立たれた賀屋さん自身は八十八歳でその生涯を閉じる。

石原　亡くなる少し前、昔の秘書の一人から「いよいよ衰弱が進んでいるから、一度見舞ってくれないか」と言われ、お宅にうかがった。昔話に花を咲かせたものだが、僕が「賀屋さんのような人生は波乱万丈で、思い残すことなどないでしょう。つくづく羨ましい」と言うと、彼は即座に手を振って「やり残したことはたくさんありますな」と。「どんなことですか?」と尋ねると、「ゴルフ。それにソウセン。あれはあなたに招いてもらって実に楽しかった」と嬉しい言葉をかけてくれた。

亀井　「ソウセン」って何だ?

石原　操船、つまりヨットの操縦だよ。僕としては感無量だったが、最後に「今は何を一番考えておられますか?」と質問したら、「やっぱり死ぬことですな」と肩をすくめて言った。「人間が死ぬというのはどういうことですかね」と尋ねると即座にこんな言葉が返ってきた。

「人間は死ぬと、暗くて長いトンネルみたいな道を一人でずっと歩いて行くんです。そうやって歩いて行くと、やがて悲しんでくれていた家族も私のことなど忘れてしまう。さらにその先、この自分すら自分のことを忘れてしまうんです。つまり何もかも消えてしまう。つくづく、死ぬということはつまらないですな」

彼はカラカラ笑っていたが、これほど強烈なニヒリズムがあるのかと衝撃を受けたよ。

死をどう受け止めるか

亀井 今年（二〇二一年）で石原さんは八十九歳、私は八十五歳。そろそろ「死」というものを考えないといけない。『死者との対話』（文藝春秋）、『死という最後の未来』（幻冬舎）、『老いてこそ生き甲斐』（幻冬舎）……ここ最近、石原さんは「死」や「老い」をテーマに本を書くことが多い。『現代語訳 法華経』（幻冬舎）も死生観をめぐる哲学的思索といえる。

石原 若い頃、江藤淳に「石原の作品には死の影が差している」と言われた。僕はスポーツで肉体を酷使してきたし、ヨットレースで何度か死にそうな目にも遭ったが、あまり自分の死について正面から向き合ってこなかった。

亀井 去年（二〇二〇年）、石原さんは奇跡的に膵臓ガンを早期発見して事なきを得た。まだまだ神様が死なせてくれないんだよ。

石原 ただ、年をとって体が思い通りに動かなくなると、「死」とはどんなものかを考えざるを得なくなる。

亀井　答えは見つかったのか？

石原　賀屋さんの考えに近い。「死、死などありはしない。ただこの俺だけが死んでいくのだ」――これはアンドレ・マルローの名作『王道』の主人公ペルケンの名文句だが、一方的にやってくる死を僕らは甘んじて受け入れるしかない。死の先にあるのは虚無でしかないんだ。

亀井　でも、私と石原さんには大きな違いがあるぞ。私が死んだら何も残らないが、石原さんが死んでも石原さんの文学は残る。石原さんの小説を愛する読者がいる限り、百年でも千年でも石原慎太郎は人々の心の中で生き続けるんだ。

石原　だとすれば、せめてもの救いだな。

亀井　もう思い残すことはないだろう。

石原　ああ。いつ死んでもいいように、辞世の句はつくってある。「灯台よ　汝が告げる　言葉は何ぞ　我が情熱は　誤りていしや」――荒波のなか、灯台の光を頼りに何とか港にたどり着いた心境を詠んだものだ。

亀井 石原さんは死ぬまで湘南ボーイなんだな。ヨットで三途の川を渡って、あの世でも帆を上げ続けているかもしれない（笑）。

石原 亀ちゃんと二人、地獄の航海も悪くない（笑）。

（『Ｗ・ｉ・Ｌ・Ｌ』二〇二一年六月号）

おわりに――祖国の姿今いかに。日本民族に長く幸あれかし

人の人生は人と人の出会いによって構築されている。

人生の幸不幸はそれによって左右されて行く。私が人生の半ば近くを費やした政治の世界で私の人生を彩ってくれたようなどれほどの素晴らしい出会いがあった事だろうか。思い返してみれば索漠(さくばく)たるものがある。政治という国家民族を背負った仕事のために選ばれた人間たちの中で功利を無視し信念に基づいて果敢に事を行う者がいかに少なかったことだろうか。

そうした中で亀井静香という男と行き会えたことは私にとって至福の体験だった。

私が金丸信と小沢一郎に金権支配されている自民党体質に反発し必敗覚悟で総裁選に立候補した時同じ捨て身の覚悟で私を支持してくれたのが彼だった。

以来盟友としての契り(ちぎ)は熱くつづいているが、この混濁(こんだく)の世に義憤に耐えずして二人して国家民族を憂い論じた記録がこの一冊だ。二人して何に憚(はばか)ることなく愛する国と民族のために論じてきたこの記録は義憤に燃える老いたる国士の後世への警告の遺言と思ってもらいたい。

祖国の姿今いかに。日本民族に長く幸あれかし。

石原慎太郎

※この一文は、二〇一九年に小社より刊行された亀井静香氏との対談集『日本よ、憚ることなく』の「おわりに」の全文です。続編にあたる本書『石原慎太郎　日本よ！』の「おわりに」に転載しました。

石原慎太郎（いしはら　しんたろう）
作家。1932年、神戸市生まれ。一橋大学卒。1956年、「太陽の季節」で芥川賞を受賞。1968年、自民党から出馬し参議院議員に当選。1972年に衆議院議員に当選。環境庁長官、運輸大臣などを歴任する。1999年から2012年まで東京都知事を務め、2012年から2014年まで再び衆議院議員を務めた。作家として、『国家なる幻影』、『弟』、『天才』などベストセラーを多数執筆。東京都知事として東京マラソンの開催、東京オリンピック招致などに尽力した。2022年２月逝去。享年89。

亀井静香（かめい　しずか）
元衆議院議員。1936年、広島県生まれ。東京大学経済学部卒。元警察官僚で、階級は警視正（警察庁退官時）。衆議院議員（通算13期）時代に、運輸大臣、建設大臣、金融大臣、郵政改革担当大臣、自由民主党政務調査会長、国民新党代表などを歴任。2017年、政界を引退。石原氏との共著『日本よ、憚ることなく』（ワック）、単著に『永田町動物園 日本をダメにした101人』（講談社）などがある。

石原慎太郎（いしはらしんたろう） 日本（にほん）よ！

2022年３月30日　初版発行

著　者　石原慎太郎・亀井静香

発行者　鈴木 隆一

発行所　ワック株式会社
東京都千代田区五番町 4-5　五番町コスモビル　〒102-0076
電話　03-5226-7622
http://web-wac.co.jp/

印刷製本　大日本印刷株式会社

ISBN978-4-89831-864-5